建設業経理事務士検定試験過去問題集

3級

解答＆解説　第5版

第42回

令和6年 3月10日実施

〔第1問〕 甲工務店の次の各取引について仕訳を示しなさい。使用する勘定科目は下記の ＜勘定科目群＞ から選び、その記号（A～X）と勘定科目を書くこと。なお、解答は次に掲げた（例）に対する解答例にならって記入しなさい。 (20点)

（例） 現金￥100,000を当座預金に預け入れた。

⑴ 工事が完成したので発注者へ引き渡し、前受金￥600,000を相殺した残額￥900,000を発注者振出しの小切手で受け取った。

⑵ 建設資材￥800,000を購入し倉庫へ搬入した。なお、代金の支払いは手持ちの約束手形を裏書譲渡した。また、搬入に伴う引取運賃￥20,000は現金で支払った。

⑶ 下請業者に対する外注代金￥3,000,000を小切手で支払った。ただし、当座預金の残高は￥2,000,000であり、取引銀行とは当座借越契約（借越限度額￥1,200,000）を結んでいる。なお、当座預金勘定とは別に当座借越勘定を設けている。

⑷ 工事現場へ搬入した資材の一部（代金は翌月末払い）に不良品があったため、￥62,000の値引きを受けた。

⑸ 前期に計上した得意先に対する工事代金の未収分￥600,000が、回収不能となった。なお、貸倒引当金勘定の残高￥500,000がある。

＜勘定科目群＞

A 現金	B 当座預金	C 完成工事未収入金	D 受取手形
E 材料	F 貸倒引当金	G 未払金	H 工事未払金
J 当座借越	K 支払手形	L 未成工事受入金	M 完成工事高
N 労務費	Q 材料費	R 外注費	S 通信費
T 貸倒引当金繰入額	U 貸倒損失	W 完成工事原価	X 損益

解答&解説

仕訳 記号（A～X）も必ず記入のこと

No.	借方			貸方		
	記号	勘定科目	金額	記号	勘定科目	金額
（例）	B	当座預金	100000	A	現金	100000
⑴	L A	未成工事受入金 現金	600000 900000	M	完成工事高	1500000

(2)	E	材　　料	820000	D A	受取手形 現　　金	800000 20000
(3)	R	外注費	3000000	B J	当座預金 当座借越	2000000 1000000
(4)	H	工事未払金	62000	Q	材料費	62000
(5)	F U	貸倒引当金 貸倒損失	500000 100000	C	完成工事未収入金	600000

(1) 「前受金￥600,000」は「未成工事受入金」勘定で借方に計上される。発注者振出しの小切手や送金小切手，郵便為替証書などは銀行に持参すると現金に換金できるため「現金」勘定で処理する。

(2) 倉庫へ搬入した建設資材はまだ工事に投入されていないため材料費とならず，「材料」勘定（資産）で処理する。「引取運賃」や「買入手数料」など材料の購入に伴う費用を附随費用といい，「材料」勘定に加算されることに注意する。

(3) 当座預金の残高￥2,000,000を超えて振り出した小切手の金額1,000,000は銀行からの借入金に相当し，「当座借越」勘定として処理する。

(4) 「工事現場へ搬入した資材」に不良品が発見され値引きを受けた場合には，「材料費」勘定を減額させるとともに，「代金は翌月未払」のため「工事未払金」も減額する。

(5) 「前期に計上した工事代金の未収分」は「完成工事未収入金」勘定で計上されているが，回収不能と見込まれた金額について，「貸倒引当金」が設定されているので，実際の貸倒金額についてはまず「貸倒引当金」勘定が充当され，これを超える金額は「貸倒損失」勘定で処理する。

問題

〔第２問〕　次の原価計算表と未成工事支出金勘定に基づき、解答用紙の完成工事原価報告書を作成しなさい。　(12点)

原価計算表

(単位：円)

摘　要	A工事		B工事	C工事	合　計
	前期分	当期分	当期分	当期分	
材料費	185,320	85,500	340,210	523,750	1,134,780
労務費	×××	×××	154,330	136,250	498,440
外注費	83,220	×××	×××	230,990	530,190
経　費	×××	12,990	58,560	×××	181,630
合　計	×××	196,930	723,300	×××	×××
備　考	完　成		完　成	未完成	

未成工事支出金

(単位：円)

前期繰越	464,740	完成工事原価	×××
材料費	×××	次期繰越	×××
労務費	343,240		
外注費	446,970		
経　費	140,630		
	×××		×××

解答&解説

完成工事原価報告書

(単位：円)

Ⅰ．材料費	611030
Ⅱ．労務費	362190
Ⅲ．外注費	299200
Ⅳ．経　費	112550
完成工事原価	1384970

(1) 原価計算表と未成工事支出金勘定の推定金額を示すと次のとおりである。

原価計算表

(単位：円)

概要	A工事		B工事	C工事	合計
	前期分	当期分	当期分	当期分	
材料費	185,320	85,500	340,210	523,750	1,134,780
労務費	(注2)**155,200**	**52,660**	154,330	136,250	498,440
外注費	83,220	**45,780**	**170,200**	230,990	530,190
経費	**41,000**	12,990	58,560	**69,080**	181,630
合計	(注1)**464,740**	196,930	723,300	**960,070**	**2,345,040**
備考	完成		完成	未完成	

未成工事支出金

(単位：円)

借方	金額	貸方	金額
前期繰越	464,740	完成工事原価	**1,384,970**
材料費	**949,460**	次期繰越	**960,070**
労務費	343,240		
外注費	446,970		
経費	140,630		
	2,345,040		2,345,040

(注1) 未成工事支出金勘定の前期繰越￥464,740

(注2) 労務費勘定の合計￥498,440から当期発生労務費￥343,240をマイナスして逆算にて求める。

※原価計算表が完成したら，縦計と横計の合計が同額であることを必ず確認する。

(2) 完成工事原価報告書

完成工事はA工事とB工事なのでそれぞれ合算する。

問題

〔第3問〕 次の＜資料1＞及び＜資料2＞に基づき、解答用紙の合計残高試算表（20×6年11月30日）を完成しなさい。なお、材料は購入のつど材料勘定に記入し、現場搬入の際に材料費勘定に振り替えている。（30点）

＜資料1＞

合計試算表

20×6年11月15日現在

（単位：円）

借方	勘定科目	貸方
1,720,000	現金	360,000
1,926,000	当座預金	1,460,000
1,320,000	受取手形	980,000
1,230,000	完成工事未収入金	480,000
810,000	材料	203,000
1,392,000	車両運搬具	
198,000	備品	
1,680,000	支払手形	2,230,000
422,000	工事未払金	978,000
1,030,000	借入金	3,912,000
831,000	未成工事受入金	1,930,000
	資本金	2,220,000
	完成工事高	2,980,000
1,450,000	材料費	
1,582,000	労務費	
628,000	外注費	
630,000	経費	
780,000	給料	
62,000	支払家賃	
42,000	支払利息	
17,733,000		17,733,000

＜資料2＞ 20×6年11月16日から11月30日までの取引

16日 本社事務所の家賃¥97,000を支払うため小切手を振り出した。
17日 材料¥140,000を本社倉庫より工事現場に送った。
18日 取立依頼中の約束手形¥300,000が期日到来につき、当座預金に入金になった旨の通知を受けた。
21日 工事代金の前受金として¥580,000が当座預金に振り込まれた。
22日 外注業者から作業完了の報告があり、その外注代金¥240,000の請求を受けた。
〃 完成した工事を引き渡し、工事代金¥1,000,000のうち前受金¥400,000を差し引いた残金を請求した。
23日 現場作業員の賃金¥430,000を現金で支払った。
〃 本社事務員の給料¥260,000を現金で支払った。
25日 支払手形のうち¥360,000が期日到来につき、当座預金から引き落とされた。
27日 工事現場の電気代¥23,000を現金で支払った。
29日 材料¥470,000を掛けで購入し、本社倉庫に搬入した。
〃 完成し発注者に引渡し済である工事の未収代金¥300,000を小切手で受け取った。
30日 借入金¥400,000、工事未払金¥250,000の支払いのため、それぞれ小切手を振り出した。
〃 借入金の利息¥18,000が当座預金から引き落とされた。

解答&解説

合計残高試算表

20×6年11月30日現在　　(単位：円)

借方		勘定科目	貸方	
残高	合計		合計	残高
947000	2020000	現金	1073000	
221000	2806000	当座預金	2585000	
40000	1320000	受取手形	1280000	
1050000	1830000	完成工事未収入金	780000	
937000	1280000	材料	343000	
1392000	1392000	車両運搬具		
198000	198000	備品		
	2040000	支払手形	2230000	190000
	672000	工事未払金	1688000	1016000
	1430000	借入金	3912000	2482000
	1231000	未成工事受入金	2510000	1279000
		資本金	2220000	2220000
		完成工事高	3980000	3980000
1590000	1590000	材料費		
2012000	2012000	労務費		
868000	868000	外注費		
653000	653000	経費		
1040000	1040000	給料		
159000	159000	支払家賃		
60000	60000	支払利息		
11167000	22601000		22601000	11167000

解答にあたっては11月16日から11月30日までの取引の仕訳を行い，その結果を＜資料1＞11月15日現在の金額に加算して「合計」欄に記入する。「合計」欄の借方・貸方合計額の一致を確かめたうえで，「残高」欄を記入する。

（注１）＜資料２＞20X6年11月16日から11月30日までの取引の仕訳については次の通りである。（単位：円）

11／16　（借）支払家賃　97,000　（貸）当座預金　97,000

「本社事務所の家賃」は「支払家賃」勘定が借方に計上される。

11／17　（借）材料費　140,000　（貸）材料　140,000

在庫している材料を工事に投入するため，「材料」勘定を「材料費」勘定に振り替える。

11／18　（借）当座預金　300,000　（貸）受取手形　300,000

11／21　（借）当座預金　580,000　（貸）未成工事受入金　580,000

11／22　（借）外注費　240,000　（貸）工事未払金　240,000

「外注業者から請求を受けた」ので，「外注費」勘定が借方に計上され，「工事未払金」勘定が貸方に計上される。

〃　（借）未成工事受入金　400,000　（貸）完成工事高　1,000,000

〃　（借）完成工事未収入金　600,000

「完成した工事を引き渡し」とあるので，「完成工事高」勘定が貸方に計上され，借方には「未成工事受入金」勘定，「完成工事未収入金」勘定が計上される。

11／23　（借）労務費　430,000　（貸）現　金　430,000

〃　（借）給　料　260,000　（貸）現　金　260,000

11／25　（借）支払手形　360,000　（貸）当座預金　360,000

11／27　（借）経　費　23,000　（貸）現　金　23,000

工事現場の電気代は「経費」勘定で処理する。

工事の施工に伴って発生した費用は，材料費・労務費・外注費・経費の４つの勘定を用いて処理。発生した工事原価のうち，材料費，労務費，外注費で処理されなかったその他の項目を経費で処理する。

11／29　（借）材料　470,000　（貸）工事未払金　470,000

「材料を掛けで購入」とあるので「工事未払金」勘定が貸方に計上され，「本社倉庫へ搬入」とあるので「材料」勘定が借方に計上される。

〃　（借）現金　300,000　（貸）完成工事未収入金　300,000

相手先から受け取った小切手は銀行に持参すると現金に換金できる

ため「現金」勘定で処理する。

簿記上，現金勘定で処理されるものは通貨のほか，他人振出しの小切手，送金小切手，郵便為替証書などがある。

日付		借方科目	金額		貸方科目	金額
11／30	（借）	借入金	400,000	（貸）	当座預金	400,000
〃	（借）	工事未払金	250,000	（貸）	当座預金	250,000

「小切手を振り出した」ので，「当座預金」勘定で処理する。

当座預金を開設すると小切手が使用できる。小切手は現金に替えて支払手段に用いることができる証券である。小切手を振り出した場合には，当座預金口座から支払いが行われる。

日付		借方科目	金額		貸方科目	金額
〃	（借）	支払利息	18,000	（貸）	当座預金	18,000
		合　計	4,868,000		合　計	4,868,000

現金と当座預金については，取引量が多いのでT字型の略式の勘定口座を作成するとよい。(単位：円)

現金

日付	金額	日付	金額
11/15	1,720,000	11/15	360,000
11/29	300,000	11/23	430,000
		〃	260,000
		11/27	23,000
	2,020,000		1,073,000

当座預金

日付	金額	日付	金額
11/15	1,926,000	11/15	1,460,000
11/18	300,000	11/16	97,000
11/21	580,000	11/25	360,000
		11/30	400,000
		〃	250,000
		〃	18,000
	2,806,000		2,585,000

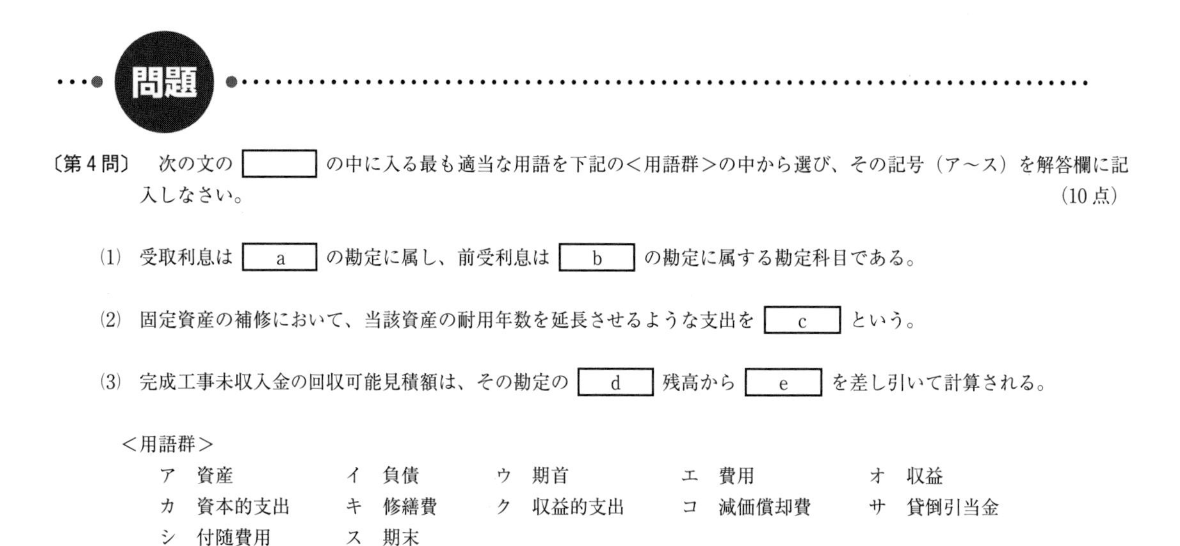

問題

〔第4問〕　次の文の□の中に入る最も適当な用語を下記の<用語群>の中から選び、その記号（ア～ス）を解答欄に記入しなさい。（10点）

⑴　受取利息は［ a ］の勘定に属し、前受利息は［ b ］の勘定に属する勘定科目である。

⑵　固定資産の補修において、当該資産の耐用年数を延長させるような支出を［ c ］という。

⑶　完成工事未収入金の回収可能見積額は、その勘定の［ d ］残高から［ e ］を差し引いて計算される。

<用語群>

ア　資産　　イ　負債　　ウ　期首　　エ　費用　　オ　収益
カ　資本的支出　　キ　修繕費　　ク　収益的支出　　コ　減価償却費　　サ　貸倒引当金
シ　付随費用　　ス　期末

解答&解説

記号（ア～ス）

a	b	c	d	e
オ	イ	カ	ス	サ

⑴ 収益には「受取利息」の他に，「完成工事高」，「受取地代」，「受取家賃」，「雑収入」などがある。「前受利息」は負債で処理する。

⑵ 耐用年数を延長させるような支出は「資本的支出」で処理する。固定資産の改修等のため支出を行った場合，「資本的支出」と「収益的支出」に分類される。

当該固定資産の能力を増進させたり，耐用年数を延長させるような支出は「資本的支出」となり，こわれた箇所を修理したり，使用不能になった部品を取り替えるなど単に現状を回復するために要した支出は「収益的支出」となる。

⑶ 「完成工事未収入金」とは「完成工事高」に計上した請負代金の未収分の増減を記帳計算する勘定である。請負代金の未収分のうち回収不能と見込まれる部分については，「貸倒引当金」が設定されるため「完成工事未収入金」勘定から「貸倒引当金」勘定を差し引いた金額が回収可能見積額となる。

〔第5問〕 次の<決算整理事項等>により、解答用紙に示されているX工務店の当会計年度（20×7年1月1日～20×7年12月31日）に係る精算表を完成しなさい。なお、工事原価は未成工事支出金勘定を経由して処理する方法によっている。

（28点）

<決算整理事項等>

⑴ 現金過不足の残高￥500を雑損失勘定に振り替える。

⑵ 機械装置（工事現場用）について￥72,000、備品（一般管理用）について￥16,000の減価償却費を計上する。

⑶ 受取手形と完成工事未収入金の合計額に対して3％の貸倒引当金を設定する（差額補充法）。

⑷ 有価証券の時価は￥203,000である。評価損を計上する。

⑸ 保険料には前払分￥10,000が含まれている。

⑹ 借入金利息の未払分￥13,000を計上する。

⑺ 未成工事支出金の期末残高は￥660,000である。

解答&解説

精　算　表

（単位：円）

勘定科目	残高試算表		整理記入		損益計算書		貸借対照表	
	借方	貸方	借方	貸方	借方	貸方	借方	貸方
現金	382000						382000	
現金過不足	500			(1) 500				
当座預金	1300000						1300000	
受取手形	660000						660000	
完成工事未収入金	730000						730000	
貸倒引当金		20500		(3) 21200				41700
有価証券	218000			(4) 15000			203000	
未成工事支出金	530000		(7) 2499000	(7) 2369000			660000	
材料	246000						246000	
貸付金	329000						329000	
機械装置	800000						800000	
機械装置減価償却累計額		216000		(2) 72000				288000
備品	320000						320000	
備品減価償却累計額		64000		(2) 16000				80000
支払手形		825000						825000
工事未払金		739000						739000
借入金		902000						902000
未成工事受入金		171000						171000
資本金		1700000						1700000
完成工事高		2619000				2619000		
受取利息		30000				30000		
材料費	811000			(7) 811000				
労務費	433000			(7) 433000				
外注費	772000			(7) 772000				
経費	411000		(2) 72000	(7) 483000				
保険料	132000			(5) 10000	122000			
支払利息	8000		(6) 13000		21000			
その他の費用	374000				374000			
	7286500	7286500						
完成工事原価			(7) 2369000		2369000			
貸倒引当金繰入額			(3) 21200		21200			
減価償却費			(2) 16000		16000			
有価証券評価損			(4) 15000		15000			
雑損失			(1) 500		500			
未払利息				(6) 13000				13000
前払保険料			(5) 10000				10000	
			5015700	5015700	2938700	2649000	4470000	4759700
当期（純損失）						289700	289700	
					2938700	2938700	4759700	4759700

主な注意事項は次のとおりである。(単位：円)

(1)　(借) 雑損失　500　(貸) 現金過不足　500

現金残高と現金勘定残高が不一致の場合,「現金過不足」勘定に計上し,「現金」勘定残高を実際の現金残高と一致しておく。後日その原因が明らかになったとき, その「現金過不足」勘定から該当する勘定に振り替える。原因がわからない場合には, 月末やその他の適当な時期をみて「雑損失」勘定, または「雑収入」勘定に振り替える。

(2)・機械装置（工事現場用）の減価償却費の計上

(借) 経　費　72,000　(貸) 機械装置減価償却累計額　72,000

・備品（一般管理用）の減価償却費の計上

(借) 減価償却費　16,000　(貸) 備品減価償却累計額　16,000

(3)　(借) 貸倒引当金繰入額　21,200　(貸) 貸倒引当金　21,200

貸倒引当金の当期設定額 (660,000＋730,000)×0.03＝41,700
貸倒引当金の帳簿残高（試算表残高）　△20,500
差額補充額　21,200

(4)　(借) 有価証券評価損　15,000　(貸) 有価証券　15,000

有価証券の帳簿残高（試算表残高）　218,000
有価証券の時価　△203,000
有価証券評価損　15,000

(5)　(借) 前払保険料　10,000　(貸) 保険料　10,000

(6)　(借) 支払利息　13,000　(貸) 未払利息　13,000

(7)・工事原価の未成工事支出金への振替

(借)	金額	(貸)	金額
未成工事支出金	2,499,000	材料費	811,000
		労務費	433,000
		外注費	772,000
		経　費	483,000

・未成工事支出金から完成工事原価への振替

(借) 完成工事原価　2,369,000　(貸) 未成工事支出金　2,369,000

(設問にある未成工事支出金の期末残高￥660,000から逆算して計算する。)

530,000＋2,499,000−660,000＝2,369,000

未成工事支出金　(単位：円)

精算表から→	前期繰越	530,000	完成工事原価	2,369,000	→逆算で計算
	材料費	811,000	次期繰越	660,000	→問題文より
	労務費	433,000			
	外注費	772,000			
	経費	483,000			
		3,029,000		3,029,000	

第41回

〔第１問〕　甲工務店の次の各取引について仕訳を示しなさい。使用する勘定科目は下記の <勘定科目群> から選び、その記号（A～X）と勘定科目を書くこと。なお、解答は次に掲げた（例）に対する解答例にならって記入しなさい。（20点）

（例）　現金￥100,000を当座預金に預け入れた。

(1)　営業部員から、かねて仮払金で処理していた旅費の概算払￥100,000を精算し、残額￥50,000を現金で受け取った。

(2)　仮受金として処理していた￥500,000は、工事の受注に伴う前受金であることが判明した。

(3)　下請業者から、作業完了の報告があり、￥1,500,000の請求を受けた。

(4)　本社建物の補修を行い、その代金￥830,000のうち￥500,000は小切手を振出して支払い、残額は翌月払いとした。なお、補修代金のうち￥330,000は修繕のための支出であり、残額は改良のための支出である。

(5)　決算に際して完成工事原価￥500,000を損益勘定に振り替えた。

<勘定科目群>

A	現金	B	当座預金	C	建物	D	仮払金	E	有価証券
F	完成工事未収入金	G	仮受金	H	未払金	J	工事未払金	K	支払手形
L	未成工事受入金	M	経費	N	完成工事原価	Q	外注費	R	法定福利費
S	旅費交通費	T	修繕維持費	U	減価償却費	W	完成工事高	X	損益

解答&解説

仕訳　記号（A～X）も必ず記入のこと

No.	借方			貸方		
	記号	勘定科目	金額	記号	勘定科目	金額
（例）	B	当座預金	100000	A	現金	100000
(1)	S A	旅費交通費 現金	50000 50000	D	仮払金	100000

	記号	借方科目	金額	記号	貸方科目	金額
(2)	G	仮受金	500000	L	未成工事受入金	500000
(3)	Q	外注費	1500000	J	工事未払金	1500000
(4)	C T	建物 修繕維持費	500000 330000	B H	当座預金 未払金	500000 330000
(5)	X	損益	500000	N	完成工事原価	500000

(1) 「営業部員の旅費」は旅費交通費で処理する。¥100, 000 − ¥50, 000 = ¥50, 000

(2) 「工事の受注に伴う前受金」は未成工事受入金で処理する。

(3) 「下請業者から作業完了の報告があり」なので借方は外注費，また「請求を受けた」とあるので，貸方は工事未払金で処理する。

(4) 「残額は翌月払い」は未払金で処理する。¥830, 000 − ¥500, 000 = ¥330, 000
「残額は改良のための支出」は建物の価値の増加となるので借方に建物を計上する。

(5) 決算時に総勘定元帳を締め切る際には，「決算振替仕訳」が必要であり，「完成工事原価」勘定を貸方に計上し，「損益」勘定を借方に振り替える。

〔第 2 問〕 次の原価計算表と未成工事支出金勘定に基づき、解答用紙の完成工事原価報告書を作成しなさい。 (12 点)

原価計算表

(単位:円)

摘要	A工事		B工事		C工事	D工事	合計
	前期繰越	当期発生	前期繰越	当期発生	当期発生	当期発生	
材料費	×××	100,000	×××	×××	88,000	×××	×××
労務費	95,000	×××	×××	64,000	×××	86,000	488,000
外注費	180,000	100,000	90,000	×××	88,000	78,000	634,000
経費	90,000	78,000	40,000	38,000	38,000	×××	300,000
合計	580,000	405,000	×××	×××	250,000	256,000	×××
期末の状況	完成		完成		未完成	未完成	

未成工事支出金

(単位:円)

前期繰越	902,000	完成工事原価	×××
材料費	400,000	次期繰越	×××
労務費	×××		
外注費	×××		
経費	×××		
	×××		×××

解答&解説

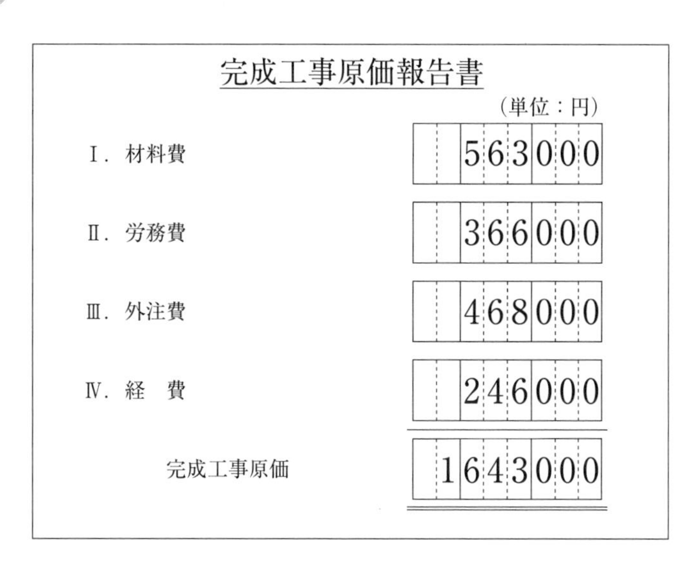

完成工事原価報告書

(単位:円)

Ⅰ. 材料費	563000
Ⅱ. 労務費	366000
Ⅲ. 外注費	468000
Ⅳ. 経費	246000
完成工事原価	1643000

(1)　原価計算表と未成工事支出金勘定の推定金額を示すと次のとおりである。

原価計算表

（単位：円）

概　要	A工事		B工事		C工事	D工事	合　計
	前月繰越	当月発生	前月繰越	当月発生	当月発生	当月発生	
材　料　費	**215,000**	100,000	**112,000**	(注2)**136,000**	88,000	**76,000**	**727,000**
労　務　費	95,000	**127,000**	**80,000**	64,000	**36,000**	86,000	488,000
外　注　費	180,000	100,000	90,000	**98,000**	88,000	78,000	634,000
経　　　費	90,000	78,000	40,000	38,000	38,000	**16,000**	300,000
合　　　計	580,000	405,000	(注1)**322,000**	**336,000**	250,000	256,000	**2,149,000**
備　　　考	完　成		完　成		未完成	未完成	

未成工事支出金

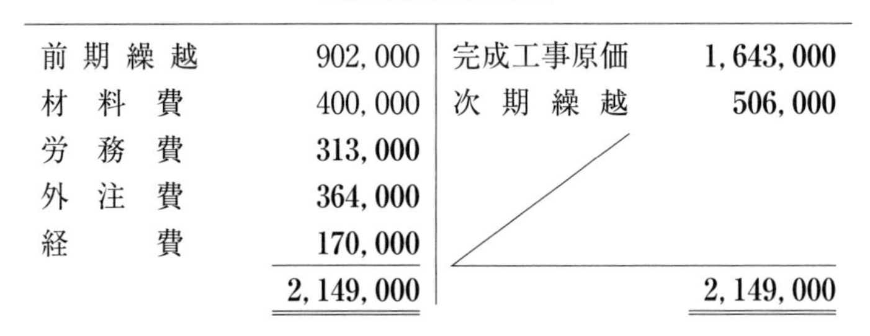

前期繰越	902,000	完成工事原価	**1,643,000**
材料費	400,000	次期繰越	**506,000**
労務費	**313,000**		
外注費	**364,000**		
経　費	**170,000**		
	2,149,000		**2,149,000**

（注１）未成工事支出金勘定の前期繰越￥902,000から逆算にて求める。

￥902,000－￥580,000（A工事の前期繰越の合計）＝￥322,000

（注２）未成工事支出金勘定の当期発生材料費￥400,000からA工事，C工事，D工事の材料費の当期発生額をマイナスして逆算にて求める。

￥400,000－（￥100,000＋￥88,000＋￥76,000）＝￥136,000

※原価計算表が完成したら，縦計と横計の合計が同額であることを必ず確認する。

(2)　完成工事原価報告書

完成工事はA工事とB工事なのでそれぞれ合算する。

問題

〔第3問〕 次の<資料1>及び<資料2>に基づき、解答用紙の合計残高試算表（20×5年11月30日）を完成しなさい。なお、材料は購入のつど材料勘定に記入し、現場搬入の際に材料費勘定に振り替えている。 （30点）

<資料1>

合計試算表
20×5年11月15日現在
（単位：円）

借方	勘定科目	貸方
1,403,000	現金	680,000
1,857,000	当座預金	1,703,000
1,594,000	受取手形	1,082,000
1,462,000	完成工事未収入金	540,000
655,000	材料	197,000
850,000	機械装置	
426,000	備品	
1,302,000	支払手形	2,579,000
311,000	工事未払金	998,000
1,059,000	借入金	3,825,000
789,000	未成工事受入金	1,833,000
	資本金	1,600,000
	完成工事高	2,994,000
2,228,000	材料費	
1,681,000	労務費	
598,000	外注費	
905,000	経費	
817,000	給料	
58,000	通信費	
36,000	支払利息	
18,031,000		18,031,000

<資料2> 20×5年11月16日から11月30日までの取引

16日 現場の動力費¥30,000を現金で支払った。
17日 工事契約が成立し、前受金¥400,000を現金で受け取った。
18日 材料¥186,000を掛けで購入し、資材倉庫に搬入した。
21日 工事の未収代金の決済として¥380,000が当座預金に振り込まれた。
22日 外注業者から作業完了の報告があり、外注代金¥289,000の請求を受けた。
〃 材料¥88,000を資材倉庫より現場に搬入した。
23日 現場作業員の賃金¥256,000を現金で支払った。
〃 本社事務員の給料¥234,000を現金で支払った。
25日 取立依頼中の約束手形¥480,000が支払期日につき、当座預金に入金になった旨の通知を受けた。
27日 現場事務所の家賃¥87,000を現金で支払った。
29日 本社の電話代¥21,000を支払うため小切手を振り出した。
〃 完成した工事を引き渡し、工事代金¥800,000のうち前受金¥200,000を差し引いた残金を約束手形で受け取った。
30日 材料の掛買代金¥360,000の支払いのため、約束手形を振り出した。
〃 銀行より¥550,000を借り入れ、利息¥5,000を差し引かれた残額が当座預金に入金された。

解答&解説

合計残高試算表

20×5年11月30日現在

（単位：円）

借方 残高	借方 合計	勘定科目	貸方 合計	貸方 残高
516000	1803000	現金	1287000	
1538000	3262000	当座預金	1724000	
632000	2194000	受取手形	1562000	
542000	1462000	完成工事未収入金	920000	
556000	841000	材料	285000	
850000	850000	機械装置		
426000	426000	備品		
	1302000	支払手形	2939000	1637000
	671000	工事未払金	1473000	802000
	1059000	借入金	4375000	3316000
	989000	未成工事受入金	2233000	1244000
		資本金	1600000	1600000
		完成工事高	3794000	3794000
2316000	2316000	材料費		
1937000	1937000	労務費		
887000	887000	外注費		
1022000	1022000	経費		
1051000	1051000	給料		
79000	79000	通信費		
41000	41000	支払利息		
12393000	22192000		22192000	12393000

解答にあたっては11月16日から11月30日までの取引の仕訳を行い，その結果を<資料1>11月15日現在の金額に加算して「合計」欄に記入する。「合計」欄の借方・貸方合計額の一致を確かめたうえで，「残高」欄を記入する。

（注１）＜資料２＞20X5年11月16日から11月30日までの取引の仕訳については次の通りである。（単位：円）

※１	11／16	（借）経　費	30,000	（貸）現　金	30,000
※２	11／17	（借）現　金	400,000	（貸）未成工事受入金	400,000
※３	11／18	（借）材　料	186,000	（貸）工事未払金	186,000
	11／21	（借）当座預金	380,000	（貸）完成工事未収入金	380,000
※４	11／22	（借）外注費	289,000	（貸）工事未払金	289,000
	〃	（借）材料費	88,000	（貸）材　料	88,000
※５	11／23	（借）労務費	256,000	（貸）現　金	256,000
	〃	（借）給　料	234,000	（貸）現　金	234,000
	11／25	（借）当座預金	480,000	（貸）受取手形	480,000
※６	11／27	（借）経　費	87,000	（貸）現　金	87,000
※７	11／29	（借）通信費	21,000	（貸）当座預金	21,000
	〃	（借）未成工事受入金	200,000	（貸）完成工事高	800,000
	〃	（借）受取手形	600,000		
	11／30	（借）工事未払金	360,000	（貸）支払手形	360,000
	〃	（借）支払利息	5,000	（貸）借入金	550,000
	〃	（借）当座預金	545,000		
		合　計	4,161,000	合　計	4,161,000

※１　11／16　現場の動力費は経費勘定

※２　11／17　工事契約が成立し前受金を受け取ったは未成工事受入金を貸方に計上

※３　11／18　材料を掛けで購入は工事未払金勘定を貸方に，資材倉庫に搬入は材料を借方に計上

※４　11／22　外注業者から請求を受けたとあるので，外注費を借方に工事未払金を貸方に計上

※５　11／23　現場作業員の賃金は労務費，本社事務員の給料は給料で借方に計上

※６　11／27　現場事務所の家賃は経費勘定

※７　11／29　完成した工事を引き渡しとあるので，完成工事高を貸方に計上，借方には未成工事受入金，受取手形を計上

現金と当座預金については，取引量が多いのでT字型の略式の勘定口座を作成するとよい。(単位：円)

現金

11/15	1,403,000	11/15	680,000
11/17	400,000	11/16	30,000
		11/23	256,000
		〃	234,000
		11/27	87,000
	1,803,000		1,287,000

当座預金

11/15	1,857,000	11/15	1,703,000
11/21	380,000	11/29	21,000
11/25	480,000		
11/30	545,000		
	3,262,000		1,724,000

問題

〔第4問〕 次の文の[　　]の中に入る最も適当な用語を下記の＜用語群＞の中から選び、その記号（ア～ス）を解答欄に記入しなさい。 (10点)

(1) 他人振出小切手、[a]、[b]は、現金勘定で処理される。

(2) 固定資産の減価償却総額は、当該資産の取得原価から[c]を差し引いて計算される。

(3) 企業の主たる経営活動から生ずる収益を[d]といい、これに属する代表的な勘定科目は、建設業においては[e]である。

＜用語群＞

ア	受取利息	イ	郵便為替証書	ウ	利益	エ	営業収益	オ	完成工事高
カ	残存価額	キ	完成工事原価	ク	貸倒引当金	コ	時価	サ	減価償却費
シ	営業外収益	ス	株式配当金領収証						

解答&解説

記号（ア～ス）

a	b	c	d	e
イ	ス	カ	エ	オ

※a・bは順不同

(1) 現金勘定は他に送金小切手，電信為替，支払日の到来した公社債の利札などがある。

(2) 残存価額は固定資産の利用終了時において予測される当該資産の純処分価額（売却による正味手取額）のこと。取得価額からこの残存価額を差し引いたものが減価償却総額となる。

(3) 収益には完成工事高の他に，受取利息，受取地代，受取家賃，雑収入，受取配当金，有価証券利息，有価証券売却益などがある。

問題

〔第5問〕 次の<決算整理事項等>により、解答用紙に示されているX工務店の当会計年度（20×3年1月1日～20×3年12月31日）に係る精算表を完成しなさい。なお、工事原価は未成工事支出金勘定を経由して処理する方法によっている。

（28点）

<決算整理事項等>

(1) 機械装置（工事現場用）について¥58,000、備品（一般管理用）について¥18,000の減価償却費を計上する。

(2) 有価証券の時価は¥186,000である。評価損を計上する。

(3) 受取手形と完成工事未収入金の合計額に対して2％の貸倒引当金を設定する（差額補充法）。

(4) 未成工事支出金の次期繰越額は¥404,000である。

(5) 支払家賃には前払分¥8,000が含まれている。

(6) 現金の実際手許有高は¥282,000であったため、不足額は雑損失とする。

(7) 期末において定期預金の未収利息¥2,000と借入金の未払利息¥3,000がある。

解答＆解説

精　算　表

（単位：円）

勘定科目	残高試算表		整理記入		損益計算書		貸借対照表	
	借方	貸方	借方	貸方	借方	貸方	借方	貸方
現金	302000			(6) 20000			282000	
当座預金	548000						548000	
定期預金	100000						100000	
受取手形	500000						500000	
完成工事未収入金	800000						800000	
貸倒引当金		20000		(3) 6000				26000
有価証券	228000			(2) 42000			186000	
未成工事支出金	480000		(4) 2814000	(4) 2890000			404000	
材料	253000						253000	
貸付金	487000						487000	
機械装置	800000						800000	
機械装置減価償却累計額		312000		(1) 58000				370000
備品	100000						100000	
備品減価償却累計額		21000		(1) 18000				39000
支払手形		454000						454000
工事未払金		589000						589000
借入金		698000						698000
未成工事受入金		167000						167000
資本金		1800000						1800000
完成工事高		3823000				3823000		
受取利息		10000		(7) 2000		12000		
材料費	754000			(4) 754000				
労務費	679000			(4) 679000				
外注費	806000			(4) 806000				
経費	517000		(1) 58000	(4) 575000				
支払家賃	147000			(5) 8000	139000			
支払利息	6000		(7) 3000		9000			
その他の費用	387000				387000			
	7894000	7894000						
完成工事原価			(4) 2890000		2890000			
貸倒引当金繰入額			(3) 6000		6000			
減価償却費			(1) 18000		18000			
有価証券評価損			(2) 42000		42000			
雑損失			(6) 20000		20000			
未収利息			(7) 2000				2000	
未払利息				(7) 3000				3000
前払家賃			(5) 8000				8000	
			5861000	5861000	3511000	3835000	4470000	4146000
当期（純利益）					324000			324000
					3835000	3835000	4470000	4470000

主な注意事項は次のとおりである。（単位：円）

(1)・機械装置（工事現場用）の減価償却費の計上

（借）経　費	58,000	（貸）機械装置減価償却累計額	58,000

・備品（一般管理用）の減価償却費の計上

（借）減価償却費	18,000	（貸）備品減価償却累計額	18,000

(2) 有価証券の帳簿残高（試算表残高）　228,000

有価証券の時価　186,000

有価証券評価損　42,000

（借）有価証券評価損	42,000	（貸）有価証券	42,000

(3) 貸倒引当金の当期設定額　(500,000＋800,000)×0.02＝　26,000

貸倒引当金の試算表残高　△20,000

差額補充額　6,000

（借）貸倒引当金繰入額	6,000	（貸）貸倒引当金	6,000

(4)・工事原価の未成工事支出金への振替

（借）未成工事支出金	2,814,000	（貸）材料費	754,000
		労務費	679,000
		外注費	806,000
		経　費	575,000

・未成工事支出金から完成工事原価への振替

（設問にある未成工事支出金の次期繰越額¥404,000から逆算して計算する）

480,000＋2,814,000－404,000＝2,890,000

（借）完成工事原価	2,890,000	（貸）未成工事支出金	2,890,000

未成工事支出金　（単位：円）

	借方	金額	貸方	金額	
精算表から→	前期繰越	480,000	完成工事原価	2,890,000	→逆算で計算
	材料費	754,000	次期繰越	404,000	→問題文より
	労務費	679,000			
	外注費	806,000			
	経費	575,000			
		3,294,000		3,294,000	

(5)	（借）前払家賃	8,000	（貸）支払家賃	8,000
(6)	（借）雑損失	20,000	（貸）現　金	20,000
(7)	（借）未収利息	2,000	（貸）受取利息	2,000
	（借）支払利息	3,000	（貸）未払利息	3,000

〔第１問〕　大阪工務店の次の各取引について仕訳を示しなさい。使用する勘定科目は下記の <勘定科目群> から選び、その記号（A～X）と勘定科目を書くこと。なお、解答は次に掲げた（例）に対する解答例にならって記入しなさい。

（20点）

（例）　現金¥100,000を当座預金に預け入れた。

(1)　建設用機械の試運転費用¥80,000を小切手を振り出して支払った。

(2)　前月に購入したA社株式5,000株（１株当たりの購入価額¥150、購入手数料¥20,000）のうち、2,000株を１株当たり¥200で売却し、代金は現金で受け取った。

(3)　施工中の工事¥800,000が完成したため発注者に引き渡し、代金のうち¥500,000は当座預金口座に振り込まれ、残額は翌月に支払われることとなった。なお、当座借越勘定の残高が¥320,000ある。

(4)　本社従業員の社会保険料¥13,000を現金で納付した。なお、このうち¥6,000は従業員の給料から差し引いたものである。

(5)　銀行に預け入れていた定期預金¥300,000が満期となり、その利息¥6,000とともに期間１年の定期預金として継続して預け入れた。

<勘定科目群>

A　現金	B　当座預金	C　定期預金	D　機械装置	E　有価証券
F　完成工事未収入金	G　立替金	H　当座借越	J　借入金	K　支払手形
L　預り金	M　経費	N　雑費	Q　支払手数料	R　法定福利費
S　保険料	T　有価証券売却損	U　有価証券売却益	W　完成工事高	X　受取利息

解答&解説

仕訳　記号（A～X）も必ず記入のこと

No.	借方			貸方		
	記号	勘定科目	金額	記号	勘定科目	金額
（例）	B	当座預金	100000	A	現金	100000
(1)	D	機械装置	80000	B	当座預金	80000

	記号	勘定科目	金額	記号	勘定科目	金額
(2)	A	現　　金	400000	E	有価証券	308000
				U	有価証券売却益	92000
(3)	H	当座借越	320000	W	完成工事高	800000
	B	当座預金	180000			
	F	完成工事未収入金	300000			
(4)	L	預り金	6000	A	現　　金	13000
	R	法定福利費	7000			
(5)	C	定期預金	306000	C	定期預金	300000
				X	受取利息	6000

(1) 「建設用機械の試運転費用」は機械装置で処理する。

(2) 前月購入した株式の１株当たり単価は（¥150×5,000株＋¥20,000）÷5,000株＝¥154

売却した「有価証券」2,000株の簿価は¥154×2,000株＝¥308,000

よって「有価証券売却益」は¥200×2,000株－¥308,000＝¥92,000

(3) 当座預金に振り込まれた¥500,000のうち，¥320,000はまず「当座借越」に充当される。

翌月支払われる¥300,000（¥800,000－¥500,000）は「完成工事未収入金」で処理する。

(4) 納付した社会保険料¥13,000と従業員の給料からの差引分（預り金）¥6,000の差額¥7,000は「法定福利費」で処理する。

(5) 継続する定期預金は¥300,000＋¥6,000＝¥306,000となる。

〔第2問〕　次の＜資料＞に基づき、下記の設問の金額を計算しなさい。なお、収益の認識は工事完成基準を適用する。

(12点)

＜資料＞

1．20×3年4月の工事原価計算表

工事原価計算表

20×3年4月

(単位：円)

摘要	A工事		B工事		C工事		D工事	合計
	前月繰越	当月発生	前月繰越	当月発生	前月繰越	当月発生	当月発生	
材料費	98,300	×××	×××	41,600	×××	65,300	75,200	453,600
労務費	22,100	86,700	83,300	23,000	43,200	×××	×××	422,300
外注費	×××	23,800	99,600	×××	45,600	33,500	51,200	×××
経費	12,400	15,900	×××	×××	21,100	74,900	64,300	283,600
合計	×××	144,000	362,100	133,400	150,300	×××	246,300	×××
備考	完成		完成		未完成		未完成	

2．前月より繰り越した未成工事支出金の残高は¥678,300であった。

問1　前月発生の材料費

問2　当月の完成工事原価

問3　当月末の未成工事支出金の残高

問4　当月の完成工事原価報告書に示される経費

解答&解説

問1　¥ 253900

問2　¥ 805400

問3　¥ 678700

問4　¥ 123300

工事原価計算表の推定金額を示すと次のとおりである。

工事原価計算表

20X3年４月

（単位：円）

概要	A工事		B工事		C工事		D工事	合計
	前月繰越	当月発生	前月繰越	当月発生	前月繰越	当月発生	当月発生	
材料費	98,300	(17,600)	(115,200)	41,600	(40,400)	65,300	75,200	453,600
労務費	22,100	86,700	83,300	23,000	43,200	(108,400)	(55,600)	422,300
外注費	(33,100)	23,800	99,600	(37,800)	45,600	33,500	51,200	(324,600)
経費	12,400	15,900	(64,000)	(31,000)	21,100	74,900	64,300	283,600
合計	(注)(165,900)	144,000	362,100	133,400	150,300	(282,100)	246,300	(1,484,100)
備考	完成		完成		未完成		未完成	

注：未成工事支出金の「前期繰越」¥678,300からＢ工事，Ｃ工事の合計を差し引き，Ａ工事の前期繰越合計を求める。

¥678,300－¥362,100－¥150,300＝¥165,900

残りの空欄は縦欄，横欄の合計から逆算して埋めていく。

問１　前月発生の材料費

Ａ工事（¥98,300）＋Ｂ工事（¥115,200）＋Ｃ工事（¥40,400）＝¥253,900

問２　当月の完成工事原価

Ａ工事（¥165,900＋¥144,000）＋Ｂ工事（¥362,100＋¥133,400）＝¥805,400

問３　当月末の未成工事支出金の残高

Ｃ工事（¥150,300＋¥282,100）＋Ｄ工事（¥246,300）＝¥678,700

問４　当月の完成工事原価報告書に示される経費

Ａ工事（¥12,400＋¥15,900）＋Ｂ工事（¥64,000＋¥31,000）＝¥123,300

〔第3問〕　次に掲げる＜20×6年3月中の取引＞を解答用紙の合計試算表の（イ）当月取引高欄に記入し、次いで（ア）前月繰越高欄及び（イ）の欄を基に（ウ）合計欄に記入しなさい。なお、（イ）の欄の各科目への記入は合計額によること。

なお、材料は購入のつど材料勘定に記入し、現場搬入の際に材料費勘定に振り替えている。　（30点）

＜20×6年3月中の取引＞

3日　手許現金を補充するため小切手¥120,000を振り出した。

5日　借入金¥300,000の返済とそれに対する利息¥2,000の支払いを現金で行なった。

8日　工事契約が成立し、前受金¥300,000を小切手で受け取った。

9日　施工中の工事¥700,000が完成し、発注者に引き渡した。なお、工事代金のうち¥200,000は前受金と相殺し、残額を請求した。

10日　取立依頼中の約束手形¥280,000が支払期日につき、当座預金に入金になった旨の通知を受けた。

11日　工事の未収代金の決済として¥300,000が当座預金に振り込まれた。

12日　外注業者から作業完了の報告があり、外注代金¥350,000の請求を受けた。

15日　材料¥10,000を本社倉庫より現場に搬入した。

16日　本社事務員の給料¥200,000、現場作業員の賃金¥220,000を現金で支払った。

17日　掛けで購入し本社倉庫に保管していた材料に品違いがあり、材料¥70,000を返品した。

19日　現場の電話代¥30,000を現金で支払った。

20日　材料の掛買代金支払のため、小切手¥150,000を振り出した。

22日　本社の家賃¥50,000を現金で支払った。

23日　当社振出しの約束手形¥240,000の期日が到来し、当座預金から引き落とされた。

24日　銀行より¥500,000を借り入れ、利息¥3,000を差し引かれた手取額が当座預金に振り込まれた。

25日　本社の事務用品代¥26,000を現金で支払った。

27日　外注費の未払代金¥300,000の支払いのため約束手形を振り出した。

30日　応接セット一式を購入しその代金¥330,000は小切手を振り出して支払った。

31日　借入金の利息¥3,000を現金で支払った。

解答&解説

合計試算表

20×6年3月31日現在　　　(単位：円)

借方			勘定科目	貸方		
(ウ)合計	(イ)当月取引高	(ア)前月繰越高		(ア)前月繰越高	(イ)当月取引高	(ウ)合計
938000	420000	518000	現金	37000	831000	868000
1910000	1077000	833000	当座預金	123000	840000	963000
380000		380000	受取手形	50000	280000	330000
1183000	500000	683000	完成工事未収入金	188000	300000	488000
187900		187900	材料	33000	80000	113000
414000		414000	機械装置			
729000	330000	399000	備品			
348000	240000	108000	支払手形	542000	300000	842000
599000	520000	79000	工事未払金	329900	350000	679900
400000	300000	100000	借入金	500000	500000	1000000
344000	200000	144000	未成工事受入金	433000	300000	733000
			資本金	1300000		1300000
			完成工事高	947000	700000	1647000
94700	10000	84700	材料費			
423500	220000	203500	労務費			
384800	350000	34800	外注費			
60900	30000	30900	経費			
383200	200000	183200	給料			
16000		16000	通信費			
47000	26000	21000	事務用消耗品費			
110000	50000	60000	支払家賃			
10900	8000	2900	支払利息			
8963900	4481000	4482900		4482900	4481000	8963900

解答にあたっては3月3日から3月31日までの取引の仕訳を行い，その結果を（イ）当月取引高に記入する。

（イ）欄の借方・貸方合計額の一致を確かめたうえで，（イ）と（ア）前月繰越高を合算し，（ウ）合計に記入する。

（ウ）欄の借方・貸方合計額の一致を確認する。

20X6年３月中の取引の仕訳については次の通りである。(単位：円)

	日付		借方科目	金額		貸方科目	金額
	3／3	(借)	現　金	120,000	(貸)	当座預金	120,000
	3／5	(借)	借入金	300,000	(貸)	現　金	302,000
	〃	(借)	支払利息	2,000			
※1	3／8	(借)	現　金	300,000	(貸)	未成工事受入金	300,000
※2	3／9	(借)	未成工事受入金	200,000	(貸)	完成工事高	700,000
	〃	(借)	完成工事未収入金	500,000			
	3／10	(借)	当座預金	280,000	(貸)	受取手形	280,000
	3／11	(借)	当座預金	300,000	(貸)	完成工事未収入金	300,000
※3	3／12	(借)	外注費	350,000	(貸)	工事未払金	350,000
※4	3／15	(借)	材料費	10,000	(貸)	材　料	10,000
※5	3／16	(借)	給　料	200,000	(貸)	現　金	420,000
	〃	(借)	労務費	220,000			
※6	3／17	(借)	工事未払金	70,000	(貸)	材　料	70,000
※7	3／19	(借)	経　費	30,000	(貸)	現　金	30,000
	3／20	(借)	工事未払金	150,000	(貸)	当座預金	150,000
	3／22	(借)	支払家賃	50,000	(貸)	現　金	50,000
	3／23	(借)	支払手形	240,000	(貸)	当座預金	240,000
	3／24	(借)	支払利息	3,000	(貸)	借入金	500,000
	〃	(借)	当座預金	497,000			
	3／25	(借)	事務用消耗品費	26,000	(貸)	現　金	26,000
	3／27	(借)	工事未払金	300,000	(貸)	支払手形	300,000
	3／30	(借)	備　品	330,000	(貸)	当座預金	330,000
	3／31	(借)	支払利息	3,000	(貸)	現　金	3,000
			合　計	4,481,000		合　計	4,481,000

※1　3／8　相手先から受け取る小切手は現金勘定

※2　3／9　残額の請求¥500,000は完成工事未収入金

※3　3／12　「請求を受けた」⇒工事未払金を貸方（負債）に計上

※4　3／15　材料は現場搬入の際に材料費勘定に振り替える

※5　3／16　本社事務員の給料は給料（一般管理費），現場作業員の賃金は労務費（工事原価）

※6　3／17　掛けで購入していた材料を返品したので，工事未払金を借方に計上（負債の減少）

※7　3／19　「現場の電話代」は通信費ではなく経費（工事原価）で計上

現金と当座預金については，取引量が多いのでT字型の略式の勘定口座を作成するとよい。(単位：円)

現金

3/3	120,000	3/5	302,000
3/8	300,000	3/16	420,000
		3/19	30,000
		3/22	50,000
		3/25	26,000
		3/31	3,000
	420,000		831,000

当座預金

3/10	280,000	3/3	120,000
3/11	300,000	3/20	150,000
3/24	497,000	3/23	240,000
		3/30	330,000
	1,077,000		840,000

問題

〔第4問〕　次の文の [　　] の中に入る最も適当な用語を下記の<用語群>の中から選び、その記号（ア～シ）を解答欄に記入しなさい。　(10点)

(1)　固定資産の補修において、当該資産の能率を増進させるような性質の支出は [a] と呼ばれ、現状を回復させるような性質の支出は [b] と呼ばれる。

(2)　減価償却の記帳方法には [c] と [d] の2つがある。

(3)　材料の消費単価の決定方法には [e] 、移動平均法などがある。

<用語群>

ア	定額法	イ	定率法	ウ	継続記録法	エ	先入先出法
オ	資本的支出	カ	収益的支出	キ	棚卸計算法	ク	間接記入法
コ	直接記入法	サ	減価償却費	シ	減価償却累計額		

解答&解説

記号（ア～シ）

a	b	c	d	e
オ	カ	ク	コ	エ

※c・dは順不同

(2) 直接記入法：毎期の減価償却額を当該固定資産勘定の貸方に直接に記入して，その帳簿額を引き下げ，未償却残高をもって繰越記入する方法

間接記入法：毎期の減価償却額を当該固定資産勘定の貸方に直接に記入せず，別に「減価償却累計額」勘定を設けて，その貸方に記入する方法

(3) 先入先出法：先に購入したものから順次出庫していくと仮定し，計算処理していく方法

移動平均法：新たな材料を購入した都度，それまでの残高欄の金額に新規受入金額を加え，これを残高欄の数量と新規受入数量を加えたもので除して払出単価とする方法

〔第5問〕 次の<決算整理事項等>により、解答用紙に示されている奈良工務店の当会計年度（20×3年1月1日～20×3年12月31日）に係る精算表を完成しなさい。なお、工事原価は未成工事支出金勘定を経由して処理する方法によっている。（28点）

<決算整理事項等>

(1) 現金の実際有高は¥450,000であった。帳簿残高との差額は雑損失として処理する。

(2) 有価証券の時価は¥333,000である。評価損を計上する。

(3) 受取手形と完成工事未収入金の合計額に対して3％の貸倒引当金を設定する（差額補充法）。

(4) 機械装置（工事現場用）について¥100,000、備品（一般管理用）について¥33,000の減価償却費を計上する。

(5) 保険料には前払分¥5,500が含まれている。

(6) 利息の未収分が¥3,300ある。

(7) 未成工事支出金の次期繰越額は¥783,000である。

解答&解説

精算表

(単位：円)

勘定科目	残高試算表		整理記入		損益計算書		貸借対照表	
	借方	貸方	借方	貸方	借方	貸方	借方	貸方
現金	452000			(1) 2000			450000	
当座預金	388000						388000	
受取手形	601000						601000	
完成工事未収入金	619000						619000	
貸倒引当金		32400		(3) 4200				36600
有価証券	344000			(2) 11000			333000	
未成工事支出金	568000		(7) 2800000	(7) 2585000			783000	
材料	583000						583000	
貸付金	400000						400000	
機械装置	952000						952000	
機械装置減価償却累計額		236000		(4) 100000				336000
備品	378000						378000	
備品減価償却累計額		124000		(4) 33000				157000
支払手形		714000						714000
工事未払金		503000						503000
借入金		268000						268000
未成工事受入金		239000						239000
資本金		2500000						2500000
完成工事高		3734000				3734000		
受取利息		19800		(6) 3300		23100		
材料費	890000			(7) 890000				
労務費	613000			(7) 613000				
外注費	650000			(7) 650000				
経費	547000		(4) 100000	(7) 647000				
支払家賃	115000				115000			
支払利息	43200				43200			
保険料	22000			(5) 5500	16500			
その他の費用	205000				205000			
	8370200	8370200						
完成工事原価			(7) 2585000		2585000			
貸倒引当金繰入額			(3) 4200		4200			
減価償却費			(4) 33000		33000			
雑損失			(1) 2000		2000			
有価証券評価損			(2) 11000		11000			
前払保険料			(5) 5500				5500	
未収利息			(6) 3300				3300	
			5544000	5544000	3014900	3757100	5495800	4753600
当期(純利益)					742200			742200
					3757100	3757100	5495800	5495800

主な注意事項は次のとおりである。(単位：円)

⑴　現金の帳簿残高（試算表残高）　452,000
　現金の実際有高　450,000
　　雑損失　2,000
　（借）雑損失　2,000　（貸）現　金　2,000

⑵　有価証券の帳簿残高（試算表残高）　344,000
　有価証券の時価　333,000
　　有価証券評価損　11,000
　（借）有価証券評価損　11,000　（貸）有価証券　11,000

⑶　貸倒引当金の当期設定額（601,000＋619,000）×0.03＝　36,600
　貸倒引当金の試算表残高　△32,400
　　差額補充額　4,200
　（借）貸倒引当金繰入額　4,200　（貸）貸倒引当金　4,200

⑷・機械装置（工事現場用）の減価償却費の計上
　（借）経　費　100,000　（貸）機械装置減価償却累計額　100,000
・備品（一般管理用）の減価償却費の計上
　（借）減価償却費　33,000　（貸）備品減価償却累計額　33,000

⑸　（借）前払保険料　5,500　（貸）保険料　5,500

⑹　（借）未収利息　3,300　（貸）受取利息　3,300

⑺・工事原価の未成工事支出金への振替

（借）未成工事支出金	2,800,000	（貸）材料費	890,000
		労務費	613,000
		外注費	650,000
		経　費	647,000

・未成工事支出金から完成工事原価への振替
（設問にある未成工事支出金の次期繰越額￥783,000から逆算して計算する。）
568,000＋2,800,000－783,000＝2,585,000
　（借）完成工事原価　2,585,000　（貸）未成工事支出金　2,585,000

未成工事支出金

	借方		貸方		
精算表から→	前期繰越	568,000	完成工事原価	2,585,000	→逆算で計算
	材料費	890,000	次期繰越	783,000	→問題文より
	労務費	613,000			
	外注費	650,000			
	経費	647,000			
		3,368,000		3,368,000	

令和3年 3月14日実施

〔第1問〕　群馬工務店の次の各取引について仕訳を示しなさい。使用する勘定科目は下記の ＜勘定科目群＞ から選び、その記号（A～W）と勘定科目を書くこと。なお、解答は次に掲げた（例）に対する解答例にならって記入しなさい。

（20点）

（例）　現金￥100,000を当座預金に預け入れた。

⑴　甲社株式3,000株（取得原価@149円）を1株当たり155円で売却し、代金は現金で受け取った。

⑵　大分商事（株）と￥2,500,000の工事請負契約が成立し、前受金として￥500,000を現金で受け取った。

⑶　神戸鋼機（株）に対する機械購入の未払代金のうち、￥750,000については手持ちの約束手形を裏書譲渡し、残額￥350,000は小切手を振り出して支払った。

⑷　得意先の（株）福島商会に対する工事代金の未収分￥620,000は、同社倒産のため回収不能となった。なお貸倒引当金の残高が￥580,000ある。

⑸　決算に際して、現金過不足勘定の貸方残高￥3,700を適切な勘定に振り替えた。

＜勘定科目群＞

A　現金	B　当座預金	C　機械装置	D　備品	E　工事未払金
F　未払金	G　現金過不足	H　完成工事未収入金	J　未成工事受入金	K　受取手形
L　支払手形	M　有価証券	N　貸倒損失	Q　貸倒引当金	R　有価証券売却益
S　有価証券売却損	T　完成工事高	U　建物	W　雑収入	

解答&解説

〔第1問〕

仕訳　記号（A～W）も必ず記入のこと

No.	借方			貸方		
	記号	勘定科目	金額	記号	勘定科目	金額
（例）	B	当座預金	100000	A	現金	100000
(1)	A	現金	465000	M	有価証券	447000
				R	有価証券売却益	18000

(2)	A	現　　　金	500000	J	未成工事受入金	500000
(3)	F	未　払　金	1100000	K	受取手形	750000
				B	当座預金	350000
(4)	Q	貸倒引当金	580000	H	完成工事未収入金	620000
	N	貸倒損失	40000			
(5)	G	現金過不足	3700	W	雑　収　入	3700

(1)「有価証券売却益」は（@¥155－@¥149）×3,000株＝¥18,000

(2)「前受金」は「未成工事受入金」で処理する。

(3)「手持ちの約束手形を裏書譲渡し」は「受取手形」で処理する。

(4)「工事代金の未収分」は「完成工事未収入金」で処理するが，回収不能となった場合，まず貸倒引当金で充当し，さらに不足となる額は「貸倒損失」となる。

(5) 現金の実際の有高が多かったので現金3,700／現金過不足3,700として処理していたものを決算で精算し，現金過不足3,700／雑収入3,700で振り替える。

問題

〔第2問〕　次の＜資料＞に基づき、下記の設問の金額を計算しなさい。　(12点)

＜資料＞

1．20×9年12月の工事原価計算表

工事原価計算表

20×9年12月

(単位：円)

摘要	A工事		B工事		C工事		D工事	合計
	前月繰越	当月発生	前月繰越	当月発生	前月繰越	当月発生	当月発生	
材料費	35,000	187,300	×××	73,000	43,100	×××	×××	606,300
労務費	26,300	×××	65,200	65,800	39,300	98,200	36,200	429,500
外注費	24,100	84,600	47,400	54,100	×××	×××	22,300	380,100
経費	7,300	×××	25,100	12,600	9,800	32,600	15,800	×××
合計	×××	402,900	218,200	×××	×××	412,700	×××	×××
備考	完成		未完成		完成		未完成	

2．前月より繰り越した未成工事支出金の残高は¥424,100であった。

問1　当月発生の材料費

問2　当月の完成工事原価

問3　当月末の未成工事支出金の残高

問4　当月の完成工事原価報告書に示される外注費

解答&解説

〔第2問〕

問1　¥ 447700　　問2　¥ 1021500

問3　¥ 530100　　問4　¥ 256300

工事原価計算表の推定金額を示すと次のとおりである。

工事原価計算表

20X9 年12月

(単位：円)

概　　要	A工事		B工事		C工事		D工事	合　　計
	前月繰越	当月発生	前月繰越	当月発生	前月繰越	当月発生	当月発生	
材　料　費	35,000	187,300	(80,500)	73,000	43,100	(155,300)	(32,100)	606,300
労　務　費	26,300	(98,500)	65,200	65,800	39,300	98,200	36,200	429,500
外　注　費	24,100	84,600	47,400	54,100	(21,000)	(126,600)	22,300	380,100
経　　　費	7,300	(32,500)	25,100	12,600	9,800	32,600	15,800	(135,700)
合　　　計	(92,700)	402,900	218,200	(205,500)	(注)(113,200)	412,700	(106,400)	(1,551,600)
備　　　考	完　成		未完成		完　成		未完成	

注：未成工事支出金の「前期繰越」¥424,100からA工事，B工事の合計を差し引き，C工事の前月繰越合計を求める。

¥424,100－¥92,700－¥218,200＝¥113,200

残りの空欄は縦欄，横欄の合計から逆算して埋めていく。

問１　当月発生の材料費

¥187,300＋¥73,000＋¥155,300＋¥32,100＝¥447,700

問２　当月の完成工事原価

A工事（¥92,700＋¥402,900）＋C工事（¥113,200＋¥412,700）＝¥1,021,500

問３　当月末の未成工事支出金の残高

B工事（¥218,200＋¥205,500）＋D工事（¥106,400）＝¥530,100

問４　当月の完成工事原価報告書に示される外注費

A工事（¥24,100＋¥84,600）＋C工事（¥21,000＋¥126,600）＝¥256,300

〔第3問〕　次の<資料1>及び<資料2>に基づき、解答用紙の合計残高試算表（20×8年11月30日）を完成しなさい。なお、材料は購入のつど材料勘定に記入し、現場搬入の際に材料費勘定に振り替えている。　（30点）

<資料1>

合計試算表
20×8年11月19日
（単位：円）

借方	勘定科目	貸方
994,000	現金	741,000
4,150,000	当座預金	2,390,000
2,450,000	受取手形	920,000
6,560,000	完成工事未収入金	4,710,000
822,000	材料	512,000
3,550,000	機械装置	
880,000	備品	
660,000	支払手形	4,780,000
1,750,000	工事未払金	2,988,000
275,000	借入金	1,660,000
1,560,000	未成工事受入金	3,480,000
	資本金	2,000,000
	完成工事高	8,362,000
3,980,000	材料費	
2,260,000	労務費	
992,000	外注費	
614,000	経費	
492,000	給料	
535,000	支払家賃	
19,000	支払利息	
32,543,000		32,543,000

<資料2>　20×8年11月20日から11月30日までの取引

20日　材料¥172,000を掛けで購入し、本社倉庫に搬入した。
21日　工事契約が成立し、前受金¥300,000を現金で受け取った。
22日　材料¥66,000を本社倉庫より現場に送った。
23日　現場作業員の賃金¥190,000を現金で支払った。
〃　本社事務員の給料¥170,000を現金で支払った。
24日　外注業者から作業完了の報告があり、外注代金¥272,000の請求を受けた。
26日　取立依頼中の約束手形¥450,000が、当座預金に入金になった旨の通知を受けた。
〃　本社事務所の家賃¥35,000を支払うため、小切手を振り出した。
27日　現場の動力用水光熱費¥30,000を現金で支払った。
28日　当社振出しの約束手形¥280,000の期日が到来し、当座預金から引き落とされた。
29日　工事の未収代金の決済として¥315,000が当座預金に振り込まれた。
30日　借入金¥300,000とその利息¥12,000を支払うため、小切手を振り出した。
〃　工事が完成し、引き渡した。工事代金¥850,000のうち前受金¥250,000を差し引いた残額を約束手形で受け取った。

解答&解説

〔第3問〕

合計残高試算表

20×8年11月30日

(単位：円)

借方		勘定科目	貸方	
残高	合計		合計	残高
163000	1294000	現金	1131000	
1898000	4915000	当座預金	3017000	
1680000	3050000	受取手形	1370000	
1535000	6560000	完成工事未収入金	5025000	
416000	994000	材料	578000	
3550000	3550000	機械装置		
880000	880000	備品		
	940000	支払手形	4780000	3840000
	1750000	工事未払金	3432000	1682000
	575000	借入金	1660000	1085000
	1810000	未成工事受入金	3780000	1970000
		資本金	2000000	2000000
		完成工事高	9212000	9212000
4046000	4046000	材料費		
2450000	2450000	労務費		
1264000	1264000	外注費		
644000	644000	経費		
662000	662000	給料		
570000	570000	支払家賃		
31000	31000	支払利息		
19789000	35985000		35985000	19789000

解答にあたっては11月20日から11月30日までの取引の仕訳を行い，その結果を<資料１>11月19日現在の金額に加算して「合計」欄に記入する。「合計」欄の借方・貸方合計額の一致を確かめたうえで，「残高」欄を記入する。

（注１） ＜資料２＞20X8年11月20日から11月30日までの取引の仕訳については次の通りである。(単位：円)

	日付		借方科目	金額		貸方科目	金額
※	11／20	（借）	材　料	172,000	（貸）	工事未払金	172,000
	11／21	（借）	現　金	300,000	（貸）	未成工事受入金	300,000
	11／22	（借）	材料費	66,000	（貸）	材　料	66,000
※	11／23	（借）	労務費	190,000	（貸）	現　金	190,000
	〃	（借）	給　料	170,000	（貸）	現　金	170,000
※	11／24	（借）	外注費	272,000	（貸）	工事未払金	272,000
	11／26	（借）	当座預金	450,000	（貸）	受取手形	450,000
	〃	（借）	支払家賃	35,000	（貸）	当座預金	35,000
	11／27	（借）	経　費	30,000	（貸）	現　金	30,000
	11／28	（借）	支払手形	280,000	（貸）	当座預金	280,000
	11／29	（借）	当座預金	315,000	（貸）	完成工事未収入金	315,000
	11／30	（借）	借入金	300,000	（貸）	当座預金	312,000
	〃	（借）	支払利息	12,000			
	〃	（借）	未成工事受入金	250,000	（貸）	完成工事高	850,000
	〃	（借）	受取手形	600,000			
			合　計	3,442,000		合　計	3,442,000

※　11／20　搬入先が本社倉庫なので，材料勘定で処理する。

※　11／23　現場作業員の賃金は労務費（工事原価）
本社事務員の給料は給料（一般管理費）

※　11／24　「請求を受けた」＝工事未払金を貸方（負債）に計上

（注２） 現金と当座預金については，取引量が多いのでＴ字型の略式の勘定口座を作成するとよい。(単位：円)

現金

日付	金額	日付	金額
11/20	994,000	11/20	741,000
11/21	300,000	11/23	190,000
		〃	170,000
		11/27	30,000
	1,294,000		1,131,000

当座預金

日付	金額	日付	金額
11/20	4,150,000	11/20	2,390,000
11/26	450,000	11/26	35,000
11/29	315,000	11/28	280,000
		11/30	312,000
	4,915,000		3,017,000

（注３） ＜資料１＞合計試算表の合計￥32,543,000＋＜資料２＞20日から30日までの仕訳合計￥3,442,000＝￥35,985,000

従って，合計残高試算表の合計欄の借方と貸方の合計金額は￥35,985,000となる。

問題

〔第４問〕 次の文の［　　］の中に入る適当な用語を下記の＜用語群＞の中から選び、その記号（ア～ス）を記入しなさい。（10点）

⑴ 当期の収益として既に発生しているがまだ収入となっていないものを「未収収益」といい、これを追加計上する手続きを［ a ］という。

⑵ 通貨代用証券には、［ b ］、送金小切手、［ c ］、株主配当金領収証などがある。

⑶ 材料の［ d ］を把握する方法として、［ e ］と棚卸計算法がある。

＜用語群＞

ア	収益の繰延	イ	損益	ウ	為替手形	エ	継続記録法
オ	郵便為替証書	カ	期日未到来の公社債の利札	キ	収益の見越	ク	他人振出の小切手
コ	先入先出法	サ	消費単価	シ	購入原価	ス	消費数量

解答＆解説

〔第４問〕

記号（ア～ス）

a	b	c	d	e
キ	オ	ク	ス	エ

⑴ 頭に「未（み）」とつくのは見越し（未収家賃，未収利息等）

頭に「前」とつくのは繰延べ（前払家賃等）と覚えるとよい。

⑶ 継続記録法：材料の種類別に口座を設けた帳簿にその受払のつど記録し，当該材料の消費数量を帳簿上確認していく方法

棚卸計算法：期末に実際の在庫を調べて評価する方法

〔第５問〕　次の＜決算整理事項等＞に基づき、解答用紙に示されている我孫子工務店の当会計年度（20×9年１月１日～20×9年12月31日）に係る精算表を完成しなさい。なお、工事原価は未成工事支出金勘定を経由して処理する方法によっている。（28点）

＜決算整理事項等＞

⑴　受取手形と完成工事未収入金の合計額に対して２％の貸倒引当金を設定する（差額補充法）。

⑵　有価証券の時価は￥348,800である。評価損を計上する。

⑶　減価償却費を次のとおり計上する。
　　機械装置（工事現場用）￥32,000
　　備品（一般管理用）　　￥14,000

⑷　借入金の利息の未払分￥2,400がある。

⑸　未成工事支出金の次期繰越額は￥146,200である。

解答&解説

〔第5問〕

精　算　表

(単位：円)

勘定科目	残高試算表		整理記入		損益計算書		貸借対照表	
	借方	貸方	借方	貸方	借方	貸方	借方	貸方
現金	346000						346000	
当座預金	410400						410400	
受取手形	362200						362200	
完成工事未収入金	810400						810400	
貸倒引当金		17200		(1) 6252				23452
有価証券	365000			(2) 16200			348800	
未成工事支出金	288000		(5) 2114000	(5) 2255800			146200	
材料	473000						473000	
貸付金	340000						340000	
機械装置	640000						640000	
機械装置減価償却累計額		288000		(3) 32000				320000
備品	420000						420000	
備品減価償却累計額		112000		(3) 14000				126000
支払手形		652500						652500
工事未払金		468800						468800
借入金		292000						292000
未成工事受入金		182200						182200
資本金		2000000						2000000
完成工事高		2864200				2864200		
受取利息		28000				28000		
材料費	823000			(5) 823000				
労務費	522000			(5) 522000				
外注費	415000			(5) 415000				
経費	322000		(3) 32000	(5) 354000				
支払利息	26000		(4) 2400		28400			
その他の費用	341900				341900			
	6904900	6904900						
完成工事原価			(5) 2255800		2255800			
貸倒引当金繰入額			(1) 6252		6252			
減価償却費			(3) 14000		14000			
有価証券評価損			(2) 16200		16200			
未払利息				(4) 2400				2400
			4440652	4440652	2662552	2892200	4297000	4067352
当期(純利益)					229648			229648
					2892200	2892200	4297000	4297000

主な注意事項は次のとおりである。（単位：円）

(1) 貸倒引当金の当期設定額　(362,200＋810,400)×0.02＝　23,452

貸倒引当金の試算表残高　△17,200

差額補充額　6,252

（借）貸倒引当金繰入額　6,252　（貸）貸倒引当金　6,252

(2) 有価証券の帳簿残高（試算表残高）　365,000

有価証券の時価　△348,800

有価証券評価損　16,200

（借）有価証券評価損　16,200　（貸）有価証券　16,200

(3)・機械装置（工事現場用）の減価償却費の計上

（借）経　費　32,000　（貸）機械装置減価償却累計額　32,000

・備品（一般管理用）の減価償却費の計上

（借）減価償却費　14,000　（貸）備品減価償却累計額　14,000

(4)　（借）支払利息　2,400　（貸）未払利息　2,400

(5)・工事原価の未成工事支出金への振替

（借）未成工事支出金　2,114,000　（貸）材料費　823,000

労務費　522,000

外注費　415,000

経　費　354,000

・未成工事支出金から完成工事原価への振替

（設問にある未成工事支出金の次期繰越額¥146,200から逆算して計算する。）

288,000＋2,114,000－146,200＝2,255,800

（借）完成工事原価　2,255,800　（貸）未成工事支出金　2,255,800

未成工事支出金

（単位：円）

	借方		貸方		
精算表から→	前期繰越	288,000	完成工事原価	2,255,800	→逆算で計算
	材料費	823,000	次期繰越	146,200	→問題文より
	労務費	522,000			
	外注費	415,000			
	経費	354,000			
		2,402,000		2,402,000	

第38回

〔第１問〕 栃木工務店の次の各取引について仕訳を示しなさい。使用する勘定科目は下記の ＜勘定科目群＞ から選び、その記号（A～U）と勘定科目を書くこと。なお、解答は次に掲げた（例）に対する解答例にならって記入しなさい。

（20点）

（例） 現金￥100,000を当座預金に預け入れた。

⑴ 本社建物の補修を行い、その代金￥1,800,000を小切手を振り出して支払った。このうち￥400,000は修繕のための支出であり、残額は改良のための支出である。

⑵ 倉庫に搬入した材料の代金のうち、￥1,200,000については手持ちの約束手形を裏書譲渡し、残額￥300,000は翌月払いとした。

⑶ 現場へ搬入した建材の一部（代金は未払い）に不良品があったため、￥55,000分の返品をした。

⑷ 先月購入した建設用機械の未払代金￥3,000,000及び本社倉庫に保管している材料の未払代金￥300,000を共に小切手を振り出して支払った。

⑸ 決算に際して、当期純利益￥530,000を資本金勘定に振り替えた。

＜勘定科目群＞

A	現金	B	当座預金	C	受取手形	D	建物	E	材料
F	機械装置	G	未成工事受入金	H	工事未払金	J	未払金	K	支払手形
L	前渡金	M	資本金	N	材料費	Q	外注費	R	修繕維持費
S	減価償却費	T	完成工事高	U	損益				

解答＆解説

〔第１問〕

仕訳 記号（A～U）も必ず記入のこと

No.	借方			貸方		
	記号	勘定科目	金額	記号	勘定科目	金額
（例）	B	当座預金	100000	A	現金	100000
(1)	R	修繕維持費	400000	B	当座預金	1800000
	D	建物	1400000			

	記号	借方科目	金額	記号	貸方科目	金額
(2)	E	材　　料	1500000	C	受取手形	1200000
				H	工事未払金	300000
(3)	H	工事未払金	55000	N	材料費	55000
(4)	J	未払金	3000000	B	当座預金	3300000
	H	工事未払金	300000			
(5)	U	損　　益	530000	M	資本金	530000

(1) 「修繕のための支出」は「修繕維持費」勘定で処理し，「改良のための支出」は「建物」勘定で処理する。

(2) 「倉庫に搬入した材料」については「材料」勘定で処理し，「手持ちの約束手形を裏書譲渡し」とあるのは「受取手形」勘定を貸方に計上し，「翌月払い」とあるのは「工事未払金」勘定を貸方に計上する。

(3) 「現場へ搬入した建材」の返品については「材料費」勘定で処理し，「代金は未払い」とあるのは「工事未払金」勘定で処理する。

(4) 「建設用機械の未払代金」は「未払金」勘定として借方に計上し，「材料の未払代金」は「工事未払金」勘定として借方に計上する。

(5) 当期純利益は，損益勘定が貸方残高になっているので，決算に際しては「損益」勘定を借方に振り替える。

問題

〔第 2 問〕　下記の原価計算表と未成工事支出金勘定に基づき、解答用紙の完成工事原価報告書を作成しなさい。　(12 点)

原価計算表

平成×年3月

(単位：円)

摘　要	101号工事		102号工事		103号工事	104号工事	合　計
	前期繰越	当期発生	前期繰越	当期発生	当期発生	当期発生	
材料費	210,000	×××	66,000	98,000	153,000	101,000	786,000
労務費	×××	105,000	54,000	×××	108,000	×××	×××
外注費	115,000	×××	52,000	55,000	×××	79,000	427,000
経　費	95,000	67,000	×××	36,000	35,000	×××	315,000
合　計	560,000	406,000	×××	×××	×××	326,000	×××
期末の状況	完　成		未完成		完　成	未完成	

未成工事支出金

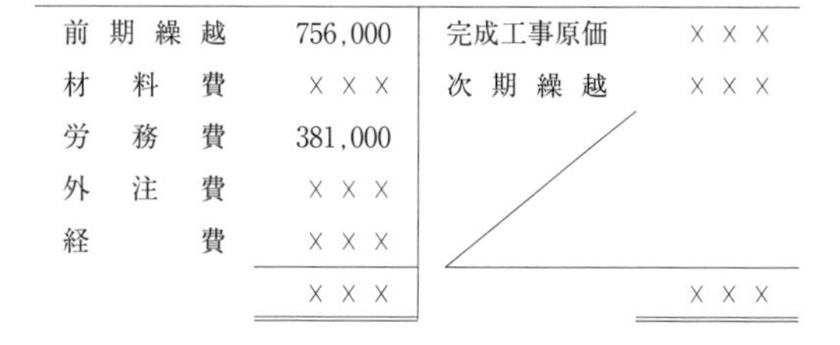

前期繰越	756,000	完成工事原価	×××
材料費	×××	次期繰越	×××
労務費	381,000		
外注費	×××		
経　費	×××		
	×××		×××

解答&解説

〔第 2 問〕

完成工事原価報告書

(単位：円)

Ⅰ. 材料費	521000
Ⅱ. 労務費	353000
Ⅲ. 外注費	241000
Ⅳ. 経　費	197000
完成工事原価	1312000

(1) 原価計算表と未成工事支出金勘定の推定金額を示すと次のとおりである。

原価計算表

平成×年3月

(単位：円)

摘要	101号工事		102号工事		103号工事	104号工事	合計
	前期繰越	当期発生	前期繰越	当期発生	当期発生	当期発生	
材料費	210,000	(158,000)	66,000	98,000	153,000	101,000	786,000
労務費	(140,000)	105,000	54,000	(注2)(80,000)	108,000	(88,000)	(575,000)
外注費	115,000	(76,000)	52,000	55,000	(50,000)	79,000	427,000
経費	95,000	67,000	(24,000)	36,000	35,000	(58,000)	315,000
合計	560,000	406,000	(注1)(196,000)	(269,000)	(346,000)	326,000	(2,103,000)
期末の状況	完成		未完成		完成	未完成	

未成工事支出金

(単位：円)

前期繰越	756,000	完成工事原価	(1,312,000)
材料費	(510,000)	次期繰越	(791,000)
労務費	381,000		
外注費	(260,000)		
経費	(196,000)		
	(2,103,000)		(2,103,000)

(注1) 未成工事支出金勘定の前期繰越¥756,000から逆算にて求める。

756,000－560,000 (101号工事の前期繰越の合計) ＝196,000

(注2) 未成工事支出金勘定の当期発生労務費¥381,000から101号工事，103号工事，104号工事の労務費の当期発生額をマイナスして逆算にて求める。

381,000－ (105,000＋108,000＋88,000) ＝80,000

(2) 完成工事原価報告書

(単位：円)

摘要	101号工事		103号工事	合計
	前期繰越	当期発生	当期発生	
材料費	210,000	158,000	153,000	521,000
労務費	140,000	105,000	108,000	353,000
外注費	115,000	76,000	50,000	241,000
経費	95,000	67,000	35,000	197,000
合計	560,000	406,000	346,000	1,312,000

〔第３問〕　次の＜資料１＞及び＜資料２＞に基づき、解答用紙の合計残高試算表（平成×年７月31日現在）を完成しなさい。なお、材料は購入のつど材料勘定に記入し、現場搬入の際に材料費勘定に振り替えている。（30点）

＜資料１＞

合計試算表
平成×年７月20日現在
（単位：円）

借　方	勘定科目	貸　方
1,958,000	現金	925,000
2,880,000	当座預金	1,623,000
1,986,000	受取手形	1,220,000
1,268,000	完成工事未収入金	841,000
1,152,000	材料	754,000
1,550,000	機械装置	
780,000	備品	
1,050,000	支払手形	1,988,000
889,000	工事未払金	1,866,000
987,000	借入金	2,947,000
824,000	未成工事受入金	1,548,000
	資本金	3,000,000
	完成工事高	4,238,000
1,525,000	材料費	
1,326,000	労務費	
1,152,000	外注費	
653,000	経費	
756,000	給料	
182,000	支払家賃	
32,000	支払利息	
20,950,000		20,950,000

＜資料２＞　平成×年７月21日から７月31日までの取引

21日　工事契約が成立し、前受金として￥150,000が当座預金に振り込まれた。
〃　工事の未収代金￥360,000を小切手で受け取った。
23日　取立依頼中の約束手形￥400,000が支払期日につき、当座預金に入金になった旨の通知を受けた。
〃　材料￥205,000を掛けで購入し、本社倉庫に搬入した。
24日　本社事務所の家賃￥95,000を小切手を振り出して支払った。
〃　下請業者から外注作業完了の報告があり、その代金￥268,000の請求を受けた。
25日　現場作業員の賃金￥280,000を現金で支払った。
〃　本社事務員の給料￥240,000を現金で支払った。
27日　材料￥147,000が本社倉庫より現場に搬入された。
〃　現場の電気代￥35,000を現金で支払った。
28日　工事が完成して発注者へ引き渡し、工事代金￥1,500,000のうち、前受金￥200,000を差し引いた残金を請求した。
〃　外注工事の未払代金の支払いのため、約束手形￥356,000を振り出した。
30日　当社振り出しの約束手形￥280,000が支払期日につき、当座預金から引き落とされた。
31日　銀行から￥800,000の借入を行い、その利息￥1,000が差し引かれたうえで、当座預金に入金となった。

解答&解説

〔第3問〕

合計残高試算表

平成×年7月31日現在　　　　　　(単位：円)

借方 残高	借方 合計	勘定科目	貸方 合計	貸方 残高
838000	2318000	現金	1480000	
2231000	4229000	当座預金	1998000	
366000	1986000	受取手形	1620000	
1367000	2568000	完成工事未収入金	1201000	
456000	1357000	材料	901000	
1550000	1550000	機械装置		
780000	780000	備品		
	1330000	支払手形	2344000	1014000
	1245000	工事未払金	2339000	1094000
	987000	借入金	3747000	2760000
	1024000	未成工事受入金	1698000	674000
		資本金	3000000	3000000
		完成工事高	5738000	5738000
1672000	1672000	材料費		
1606000	1606000	労務費		
1420000	1420000	外注費		
688000	688000	経費		
996000	996000	給料		
277000	277000	支払家賃		
33000	33000	支払利息		
14280000	26066000		26066000	14280000

解答にあたっては，7月21日から7月31日までの取引の仕訳を行い，その結果を〈資料1〉7月20日現在の金額に加算して「合計」欄に記入する。「合計」欄の借方・貸方合計額の一致を確かめたうえで，「残高」欄を記入する。

（注１）〈資料２〉平成×年７月21日から７月31日までの取引の仕訳については次のとおりである。（単位：円）

日付		借方科目	金額		貸方科目	金額
7／21	（借）	当座預金	150,000	（貸）	未成工事受入金	150,000
〃	（借）	現　金	360,000	（貸）	完成工事未収入金	360,000
7／23	（借）	当座預金	400,000	（貸）	受取手形	400,000
〃	（借）	材　料	205,000	（貸）	工事未払金	205,000
7／24	（借）	支払家賃	95,000	（貸）	当座預金	95,000
〃	（借）	外注費	268,000	（貸）	工事未払金	268,000
7／25	（借）	労務費	280,000	（貸）	現　金	280,000
〃	（借）	給　料	240,000	（貸）	現　金	240,000
7／27	（借）	材料費	147,000	（貸）	材　料	147,000
〃	（借）	経　費	35,000	（貸）	現　金	35,000
7／28	（借）	未成工事受入金	200,000	（貸）	完成工事高	1,500,000
		完成工事未収入金	1,300,000			
〃	（借）	工事未払金	356,000	（貸）	支払手形	356,000
7／30	（借）	支払手形	280,000	（貸）	当座預金	280,000
7／31	（借）	当座預金	799,000	（貸）	借入金	800,000
		支払利息	1,000			
		合　計	5,116,000		合　計	5,116,000

（注２）現金と当座預金については，取引量が多いのでＴ字型の略式の勘定口座を作成するとよいであろう。（単位：円）

現金

日付	借方	日付	貸方
7/20	1,958,000	7/20	925,000
7/21	360,000	7/25	280,000
	2,318,000	〃	240,000
		7/27	35,000
			1,480,000

当座預金

日付	借方	日付	貸方
7/20	2,880,000	7/20	1,623,000
7/21	150,000	7/24	95,000
7/23	400,000	7/30	280,000
7/31	799,000		1,998,000
	4,229,000		

（注３）〈資料１〉合計試算表の合計￥20,950,000＋〈資料２〉21日～31日までの仕訳合計￥5,116,000＝￥26,066,000

従って，合計残高試算表の合計欄の借方と貸方の合計金額は￥26,066,000となる。

問題

〔第４問〕　次の文の ［　　　］ の中に入る最も適当な用語を下記の<用語群>の中から選び、その記号（ア～シ）を記入しなさい。（10点）

⑴　固定資産の減価償却総額は、当該資産の ［ a ］ から ［ b ］ を差し引いて計算される。

⑵　［ c ］ は、工事毎に発生した原価を集計できるように工夫された帳簿であり、［ d ］ の補助元帳としての機能を果たしている。

⑶　回収不能となった売上債権は簿記上、［ e ］ 勘定で処理をする。

<用語群>

ア	取得原価	イ	時価	ウ	完成工事高	エ	残存価額
オ	完成工事原価	カ	工事原価	キ	材料元帳	ク	未成工事支出金
コ	工事台帳	サ	貸倒損失	シ	減価償却費		

解答&解説

〔第４問〕

記号（ア～シ）

a	b	c	d	e
ア	エ	コ	ク	サ

(1)　固定資産の減価償却総額に関する出題

(2)　工事台帳に関する出題

(3)　回収不能となった売上債権に関する出題

〔第５問〕　次の＜決算整理事項等＞により、解答用紙に示されている熊本工務店の当会計年度（平成×年１月１日～平成×年12月31日）に係る精算表を完成しなさい。なお、工事原価は未成工事支出金勘定を経由して処理する方法によっている。（28点）

＜決算整理事項等＞

⑴　減価償却費を次のとおり計上する。　機械装置（工事現場用）¥120,000
　　　　　　　　　　　　　　　　　　　備品（一般管理部門用）¥ 30,000

⑵　有価証券の時価は¥285,000であり、評価損を計上する。

⑶　受取手形と完成工事未収入金の合計額に対して２％の貸倒引当金を設定する（差額補充法）。

⑷　貸付金に対する利息の未収分は¥4,000である。

⑸　借入金に対する利息の未払分は¥3,500である。

⑹　未成工事支出金の次期繰越額は¥198,000である。

解答&解説

〔第 5 問〕

精　算　表

(単位：円)

勘定科目	残高試算表 借方	残高試算表 貸方	整理記入 借方	整理記入 貸方	損益計算書 借方	損益計算書 貸方	貸借対照表 借方	貸借対照表 貸方
現金	380000						380000	
当座預金	486000						486000	
受取手形	653000						653000	
完成工事未収入金	537000						537000	
貸倒引当金		11800		(3) 12000				23800
有価証券	317000			(2) 32000			285000	
未成工事支出金	453000		(6) 2207800	(6) 2462800			198000	
材料	352000						352000	
貸付金	280000						280000	
機械装置	840000						840000	
機械装置減価償却累計額		360000		(1) 120000				480000
備品	400000						400000	
備品減価償却累計額		120000		(1) 30000				150000
支払手形		782000						782000
工事未払金		623000						623000
借入金		486000						486000
未成工事受入金		387000						387000
資本金		1000000						1000000
完成工事高		3288000				3288000		
受取利息		18000		(4) 4000		22000		
材料費	767600			(6) 767600				
労務費	628000			(6) 628000				
外注費	495000			(6) 495000				
経費	197200		(1) 120000	(6) 317200				
保険料	70000				70000			
支払利息	48000		(5) 3500		51500			
その他の費用	172000				172000			
	7075800	7075800						
完成工事原価			(6) 2462800		2462800			
貸倒引当金繰入額			(3) 12000		12000			
有価証券評価損			(2) 32000		32000			
減価償却費			(1) 30000		30000			
未収利息			(4) 4000				4000	
未払利息				(5) 3500				3500
			4872100	4872100	2830300	3310000	4415000	3935300
当期(純利益)					479700			479700
					3310000	3310000	4415000	4415000

主な注意事項は次のとおりである。(単位:円)

(1)・機械装置(工事現場用)の減価償却費の計上

(借) 経　費	120,000	(貸) 機械装置減価償却累計額	120,000

・備品(一般管理用)の減価償却費の計上

(借) 減価償却費	30,000	(貸) 備品減価償却累計額	30,000

(2) 有価証券の帳簿残高(試算表残高)　317,000

有価証券の時価　285,000

有価証券評価損　32,000

(借) 有価証券評価損	32,000	(貸) 有価証券	32,000

(3) 貸倒引当金の当期設定額(653,000+537,000)×0.02=23,800

貸倒引当金の試算表残高　11,800

差額補充額　12,000

(借) 貸倒引当金繰入額	12,000	(貸) 貸倒引当金	12,000

(4)

(借) 未収利息	4,000	(貸) 受取利息	4,000

(5)

(借) 支払利息	3,500	(貸) 未払利息	3,500

(6)・工事原価の未成工事支出金への振替

(借) 未成工事支出金	2,207,800	(貸) 材料費	767,600
		労務費	628,000
		外注費	495,000
		経　費	317,200

・未成工事支出金から完成工事原価への振替

(設問にある未成工事支出金の次期繰越額¥198,000から逆算して計算する。)

453,000+2,207,800−198,000=2,462,800

(借) 完成工事原価	2,462,800	(貸) 未成工事支出金	2,462,800

〔第1問〕 長野工務店の次の各取引について仕訳を示しなさい。使用する勘定科目は下記の <勘定科目群> から選び、その記号（A～X）と勘定科目を書くこと。なお、解答は次に掲げた（例）に対する解答例にならって記入しなさい。

（20点）

（例） 現金¥100,000を当座預金に預け入れた。

⑴ A社に対する貸付金の回収として郵便為替証書¥50,000を受け取った。

⑵ 現金過不足としていた¥30,000のうち¥13,000は本社事務員の旅費であり、残額は現場作業員の旅費と判明した。

⑶ 現場作業員の賃金¥350,000から所得税源泉徴収分¥25,000と立替金¥20,000を差し引き、残額を現金で支払った。

⑷ 工事が完成したため発注者に引渡し、代金のうち¥350,000については前受金と相殺し、残額¥950,000を請求した。

⑸ 建設現場で使用する機械¥1,000,000を購入し、代金のうち¥730,000は現金で支払い、残額は翌月末払いとした。

<勘定科目群>

A 現金	B 当座預金	C 未成工事受入金	D 仮受金	E 工事未払金
F 貸付金	G 現金過不足	H 外注費	J 完成工事高	K 完成工事未収入金
L 未払金	M 経費	N 給料	Q 立替金	R 労務費
S 機械装置	T 材料費	U 材料	W 預り金	X 旅費交通費

解答&解説

〔第1問〕

仕訳 記号（A～X）も記入のこと

No.	借方			貸方		
	記号	勘定科目	金額	記号	勘定科目	金額
（例）	B	当座預金	100000	A	現金	100000
⑴	A	現金	50000	F	貸付金	50000
⑵	X	旅費交通費	13000	G	現金過不足	30000
	M	経費	17000			

(3)	R	労務費	350000	W Q A	預り金 立替金 現金	25000 20000 305000
(4)	C K	未成工事受入金 完成工事未収入金	350000 950000	J	完成工事高	1300000
(5)	S	機械装置	1000000	A L	現金 未払金	730000 270000

(1) 「郵便為替証書」は「現金」勘定で処理する。

(2) 「本社事務員の旅費」は「旅費交通費」勘定として借方に計上し,「現場作業員の旅費」は「経費」勘定として借方に計上し,「現金過不足」勘定は貸方に計上する。

(3) 所得税源泉徴収分は「預り金」勘定で処理する。

(4) 「¥350,000については前受金と相殺」は「未成工事受入金」勘定として借方に計上し,「残額¥950,000を請求した」は「完成工事未収入金」勘定として借方に計上し,「完成工事高」勘定の貸方として合計額¥1,300,000を計上する。

(5) 固定資産の購入に伴って発生した債務は「未払金」勘定で処理する。

〔第２問〕　次の＜資料＞に基づき、下記の問に解答しなさい。　(12点)

＜資料＞

1．平成×年３月の工事原価計算表

工事原価計算表
平成×年３月

(単位：円)

摘　要	A工事		B工事		C工事		D工事	合　計
	前月繰越	当月発生	前月繰越	当月発生	前月繰越	当月発生	当月発生	
材料費	34,900	×××	99,300	49,600	×××	36,200	75,200	418,700
労務費	17,700	83,300	56,200	×××	26,900	48,900	65,200	317,400
外注費	13,300	16,000	34,200	19,700	×××	56,300	×××	×××
経　費	9,500	24,300	×××	×××	18,600	25,300	12,300	149,700
合　計	×××	179,600	×××	131,600	169,000	×××	187,800	×××
備　考	完　成		完　成		未完成		未完成	

2．A工事・B工事・C工事は前月より着手している。

3．前月より繰り越した未成工事支出金の残高は¥450,700であった。

問１　前月発生の外注費を計算しなさい。

問２　当月の完成工事原価を計算しなさい。

問３　当月末の未成工事支出金の残高を計算しなさい。

問４　当月の完成工事原価報告書に示される材料費を計算しなさい。

解答＆解説

〔第２問〕

問１　¥ 103500　　問２　¥ 592900

問３　¥ 523500　　問４　¥ 239800

工事原価計算表の「×××」の部分の金額を計算し，各問の金額を求めることになる。

⑴　工事原価計算表の推定金額を示すと次のとおりである。(単位：円)

工事原価計算表

平成×年3月

(単位：円)

摘　要	A工事		B工事		C工事		D工事	合　計
	前月繰越	当月発生	前月繰越	当月発生	前月発生	当月発生	当月発生	
材料費	34,900	(56,000)	99,300	49,600	(67,500)	36,200	75,200	418,700
労務費	17,700	83,300	56,200	(19,200)	26,900	48,900	65,200	317,400
外注費	13,300	16,000	34,200	19,700	(56,000)	56,300	(35,100)	(230,600)
経　費	9,500	24,300	(16,600)	(43,100)	18,600	25,300	12,300	149,700
合　計	(75,400)	179,600	(注)(206,300)	131,600	169,000	(166,700)	187,800	(1,116,400)
備　考	完　成		完　成		未完成		未完成	

(注)　<資料>2．及び3．の前月より繰り越した未成工事支出金の残高¥450,700から逆算にて求める。

450,700－75,400(A工事の前月繰越の合計)－169,000(C工事の前月繰越の合計)＝206,300

⑵　各問に対する解答（単位：円）

問1　A工事，B工事およびC工事の前月繰越のうちの外注費を集計する。

13,300＋34,200＋56,000＝103,500

問2　A工事およびB工事の前月繰越と当月発生の合計額を集計する。

(75,400＋179,600)＋(206,300＋131,600)＝592,900

問3　C工事およびD工事の前月繰越と当月発生の合計額を集計する。

(169,000＋166,700)＋187,800＝523,500

問4　A工事およびB工事の材料費の前月繰越と当月発生を集計する。

(34,900＋56,000)＋(99,300＋49,600)＝239,800

〔第3問〕　次の＜資料1＞及び＜資料2＞に基づき、解答用紙の合計残高試算表（平成×年12月30日現在）を完成しなさい。なお、材料は購入のつど材料勘定に記入し、現場搬入の際に材料費勘定に振り替えている。　（30点）

＜資料1＞

合計試算表
平成×年12月20日現在
（単位：円）

借方	勘定科目	貸方
999,000	現金	560,000
2,130,000	当座預金	1,600,000
2,066,000	受取手形	1,432,000
1,523,000	完成工事未収入金	840,000
696,000	材料	393,000
555,000	機械装置	
498,000	備品	
1,300,000	支払手形	2,523,000
423,000	工事未払金	956,000
1,113,000	借入金	3,322,000
899,000	未成工事受入金	1,633,000
	資本金	1,000,000
	完成工事高	3,650,000
2,325,000	材料費	
1,399,000	労務費	
955,000	外注費	
620,000	経費	
333,000	給料	
49,000	通信費	
26,000	支払利息	
17,909,000		17,909,000

＜資料2＞　平成×年12月21日から12月30日までの取引

21日　工事契約が成立し、前受金¥300,000を現金で受け取った。
22日　工事の未収代金¥500,000が当座預金に振り込まれた。
23日　材料¥130,000を掛けで購入し、資材倉庫に搬入した。
〃　材料¥50,000を資材倉庫より現場に送った。
25日　外注業者から作業完了の報告があり、外注代金¥190,000の請求を受けた。
26日　現場の動力費¥30,000を現金で支払った。
〃　掛買し、資材倉庫に保管していた材料に不良品があり、¥50,000の値引きを受けた。
27日　取立依頼中の約束手形¥480,000が支払期日につき、当座預金に入金になった旨の通知を受けた。
28日　材料の掛買代金の未払い分¥45,000を現金で支払った。
29日　現場の電話代¥15,000を支払うため小切手を振り出した。
〃　完成した工事を引き渡し、工事代金¥1,000,000のうち前受金¥300,000を差し引いた残額を約束手形で受け取った。
30日　材料の掛買代金¥280,000の支払いのため、約束手形を振り出した。
〃　借入金¥523,000とその利息¥13,000を支払うため、小切手を振り出した。

解答&解説

〔第3問〕

合計残高試算表

平成×年12月30日現在　　　　　　　　　　　　(単位：円)

借方		勘定科目	貸方	
残高	合計		合計	残高
664000	1299000	現金	635000	
959000	3110000	当座預金	2151000	
854000	2766000	受取手形	1912000	
183000	1523000	完成工事未収入金	1340000	
333000	826000	材料	493000	
555000	555000	機械装置		
498000	498000	備品		
	1300000	支払手形	2803000	1503000
	798000	工事未払金	1276000	478000
	1636000	借入金	3322000	1686000
	1199000	未成工事受入金	1933000	734000
		資本金	1000000	1000000
		完成工事高	4650000	4650000
2375000	2375000	材料費		
1399000	1399000	労務費		
1145000	1145000	外注費		
665000	665000	経費		
333000	333000	給料		
49000	49000	通信費		
39000	39000	支払利息		
10051000	21515000		21515000	10051000

解答にあたっては，12月21日から12月30日までの取引の仕訳を行い，その結果を＜資料１＞12月20日現在の金額に加算して「合計」欄に記入する。「合計」欄の借方・貸方合計額の一致を確かめたうえで，「残高」欄を記入する。

（注１）　＜資料２＞平成×年12月21日から12月30日までの取引の仕訳については次のとおりである。（単位：円）

日付		借方科目	金額		貸方科目	金額
12／21	（借）	現　金	300,000	（貸）	未成工事受入金	300,000
12／22	（借）	当座預金	500,000	（貸）	完成工事未収入金	500,000
12／23	（借）	材　料	130,000	（貸）	工事未払金	130,000
〃	（借）	材料費	50,000	（貸）	材　料	50,000
12／25	（借）	外注費	190,000	（貸）	工事未払金	190,000
12／26	（借）	経　費	30,000	（貸）	現　金	30,000
〃	（借）	工事未払金	50,000	（貸）	材　料	50,000
12／27	（借）	当座預金	480,000	（貸）	受取手形	480,000
12／28	（借）	工事未払金	45,000	（貸）	現　金	45,000
12／29	（借）	経　費	15,000	（貸）	当座預金	15,000
〃	（借）	未成工事受入金	300,000	（貸）	完成工事高	1,000,000
		受取手形	700,000			
12／30	（借）	工事未払金	280,000	（貸）	支払手形	280,000
〃	（借）	借入金	523,000	（貸）	当座預金	536,000
		支払利息	13,000			
		合　計	3,606,000		合　計	3,606,000

（注２）　現金と当座預金については，取引量が多いのでＴ字型の略式の勘定口座を作成するとよいであろう。（単位：円）

現金

12/20	999,000	12/20	560,000
12/21	300,000	12/26	30,000
	1,299,000	12/28	45,000
			635,000

当座預金

12/20	2,130,000	12/20	1,600,000
12/22	500,000	12/29	15,000
12/27	480,000	12/30	536,000
	3,110,000		2,151,000

（注３） <資料１>合計試算表の合計¥17,909,000＋<資料２>21日～30日までの仕訳合計3,606,000＝¥21,515,000

従って，合計残高試算表の合計欄の借方と貸方の合計金額は¥21,515,000となる。

問題

〔第４問〕 次の文の［　　］の中に入る最も適当な用語を下記の<用語群>の中から選び、その記号（ア～ス）を解答欄に記入しなさい。 （10点）

⑴ 材料の［ a ］を把握する方法として継続記録法と［ b ］がある。

⑵ 未収利息は［ c ］の勘定に属し、未払利息は［ d ］の勘定に属する。

⑶ 完成工事未収入金の回収可能見積額は、その期末残高から［ e ］を差し引いた額である。

<用語群>

ア 資産	イ 負債	ウ 直接記入法	エ 消費数量	オ 収益
カ 費用	キ 購入数量	ク 資本	コ 貸倒損失	サ 棚卸計算法
シ 間接記入法	ス 貸倒引当金			

解答＆解説

〔第４問〕

記号（ア～ス）

a	b	c	d	e
エ	サ	ア	イ	ス

⑴ 材料の消費数量の把握方法に関する出題

⑶ 完成工事未収入金の回収可能見積額に関する出題

〔第５問〕　次の<決算整理事項等>により、解答用紙に示されている栃木工務店の当会計年度（平成×年１月１日～平成×年12月31日）に係る精算表を完成しなさい。なお、工事原価は未成工事支出金勘定を経由して処理する方法によっている。（28点）

<決算整理事項等>

⑴　機械装置（工事現場用）について¥98,000、備品（一般管理用）について¥22,000の減価償却費を計上する。

⑵　有価証券の時価は¥233,000であり、評価損を計上する。

⑶　受取手形と完成工事未収入金の合計額に対して３％の貸倒引当金を設定する。（差額補充法）

⑷　現金の実際有高は¥330,000であった。差額は雑損失とする。

⑸　支払家賃には前払分¥9,400が含まれている。

⑹　未成工事支出金の次期繰越額は¥563,000である。

解答&解説

〔第５問〕

精　算　表

（単位：円）

勘定科目	残高試算表		整理記入		損益計算書		貸借対照表	
	借方	貸方	借方	貸方	借方	貸方	借方	貸方
現金	352,000			(4) 22,000			330,000	
当座預金	498,000						498,000	
受取手形	591,000						591,000	
完成工事未収入金	819,000						819,000	
貸倒引当金		22,400		(3) 19,900				42,300
有価証券	254,000			(2) 21,000			233,000	
未成工事支出金	458,000		(6) 2,804,000	(6) 2,699,000			563,000	
材料	483,000						483,000	
貸付金	500,000						500,000	
機械装置	762,000						762,000	
機械装置減価償却累計額		246,000		(1) 98,000				344,000
備品	468,000						468,000	
備品減価償却累計額		84,000		(1) 22,000				106,000
支払手形		794,000						794,000
工事未払金		433,000						433,000
借入金		398,000						398,000
未成工事受入金		199,000						199,000
資本金		2,500,000						2,500,000
完成工事高		3,684,000				3,684,000		
受取利息		9,800				9,800		
材料費	994,000			(6) 994,000				
労務費	659,000			(6) 659,000				
外注費	556,000			(6) 556,000				
経費	497,000		(1) 98,000	(6) 595,000				
支払家賃	159,000			(5) 9,400	149,600			
支払利息	13,200				13,200			
その他の費用	307,000				307,000			
	8,370,200	8,370,200						
完成工事原価			(6) 2,699,000		2,699,000			
貸倒引当金繰入額			(3) 19,900		19,900			
減価償却費			(1) 22,000		22,000			
雑損失			(4) 22,000		22,000			
有価証券評価損			(2) 21,000		21,000			
前払家賃			(5) 9,400				9,400	
			5,695,300	5,695,300	3,253,700	3,693,800	5,256,400	4,816,300
当期（純利益）					440,100			440,100
					3,693,800	3,693,800	5,256,400	5,256,400

主な注意事項は次のとおりである。（単位：円）

(1)・機械装置（工事現場用）の減価償却費の計上

（借）経　費	98,000	（貸）機械装置減価償却累計額	98,000

・備品（一般管理用）の減価償却費の計上

（借）減価償却費	22,000	（貸）備品減価償却累計額	22,000

(2)　有価証券の帳簿残高（試算表残高）　254,000

有価証券の時価　233,000

有価証券評価損　21,000

（借）有価証券評価損	21,000	（貸）有価証券	21,000

(3)　貸倒引当金の当期設定額（591,000＋819,000）×0.03＝42,300

貸倒引当金の試算表残高　22,400

差額補充額　19,900

（借）貸倒引当金繰入額	19,900	（貸）貸倒引当金	19,900

(4)

（借）雑損失	22,000	（貸）現　金	22,000

(5)

（借）前払家賃	9,400	（貸）支払家賃	9,400

(6)・工事原価の未成工事支出金への振替

（借）未成工事支出金	2,804,000	（貸）材料費	994,000
		労務費	659,000
		外注費	556,000
		経　費	595,000

・未成工事支出金から完成工事原価への振替

（設問にある未成工事支出金の次期繰越額￥563,000から逆算して計算する。）

458,000＋2,804,000－563,000＝2,699,000

（借）完成工事原価	2,699,000	（貸）未成工事支出金	2,699,000

平成29年 3月12日実施

〔第１問〕 岐阜工務店の次の各取引について仕訳を示しなさい。使用する勘定科目は下記の＜勘定科目群＞から選び、その記号（A～W）と勘定科目を書くこと。なお、解答は次に掲げた（例）に対する解答例にならって記入しなさい。

（20点）

（例） 現金￥100,000を当座預金に預け入れた。

(1) A社株式を￥1,800,000で買い入れ、代金は手数料￥75,000とともに小切手を振り出して支払った。

(2) B工務店から外注作業完了の報告があり、その代金￥1,000,000のうち￥450,000については手持ちの約束手形を裏書譲渡し、残りは翌月払いとした。

(3) 得意先C店が倒産し、同店に対する完成工事未収入金￥1,400,000が回収不能となった。なお貸倒引当金の残高が￥900,000ある。

(4) 建設機械を購入し、代金￥598,000は小切手を振り出して支払った。当座預金の残高は￥333,000であり、取引銀行とは当座借越契約（借越限度額￥1,000,000）を結んでいる。

(5) 決算に際して、当期純利益￥850,000を資本金勘定に振り替えた。

＜勘定科目群＞

A 現金	B 当座預金	C 資本金	D 当座借越	E 有価証券
F 支払手数料	G 完成工事未収入金	H 工事未払金	J 受取手形	K 支払手形
L 完成工事高	M 損益	N 外注費	Q 経費	R 機械装置
S 貸倒損失	T 借入金	U 未払金	W 貸倒引当金	

解答＆解説

〔第１問〕

仕訳　　記号（A～W）も必ず記入のこと

No.	借方			貸方		
	記号	勘定科目	金額	記号	勘定科目	金額
(例)	B	当座預金	100000	A	現金	100000
(1)	E	有価証券	1875000	B	当座預金	1875000
(2)	N	外注費	1000000	J	受取手形	450000
				H	工事未払金	550000

(3)	W	貸倒引当金	900000	G	完成工事未収入金	1400000
	S	貸倒損失	500000			
(4)	R	機械装置	598000	B	当座預金	333000
				D	当座借越	265000
(5)	M	損益	850000	C	資本金	850000

⑴ 手数料は株式購入のための付随費用として「有価証券」勘定に加算することに注意する。

⑵ 「手持ちの約束手形を裏書譲渡し」とあるのは「受取手形」勘定を貸方に計上し，「翌月払い」分は「工事未払金」勘定で処理する。

⑶ 貸倒引当金の残高を超えて貸倒れが発生した場合には，超える部分の金額は「貸倒損失」勘定で処理する。

⑷ 当座預金の残高¥333,000を超える当座預金の引き落とし額¥265,000は，「当座借越」勘定として処理する。

⑸ 当期純利益は，損益勘定が貸方残高になっているので，決算に際しては「損益」勘定を借方に振り替える。

〔第 2 問〕　次の原価計算表と未成工事支出金勘定に基づき、解答用紙の完成工事原価報告書を作成しなさい。　(12 点)

原価計算表

(単位：円)

摘　要	A工事		B工事		C工事	D工事	合　計
	前期繰越	当期発生	前期繰越	当期発生	当期発生	当期発生	
材　料　費	×××	140,000	54,000	×××	×××	×××	445,000
労　務　費	50,000	103,000	×××	58,000	×××	52,000	334,000
外　注　費	×××	×××	×××	90,000	98,000	37,000	×××
経　　　費	20,000	32,000	×××	28,000	58,000	33,000	184,000
合　計	188,000	×××	169,000	×××	278,000	214,000	×××
期末の状況	完成・引渡完了		未　完　成		完成・引渡完了	未　完　成	

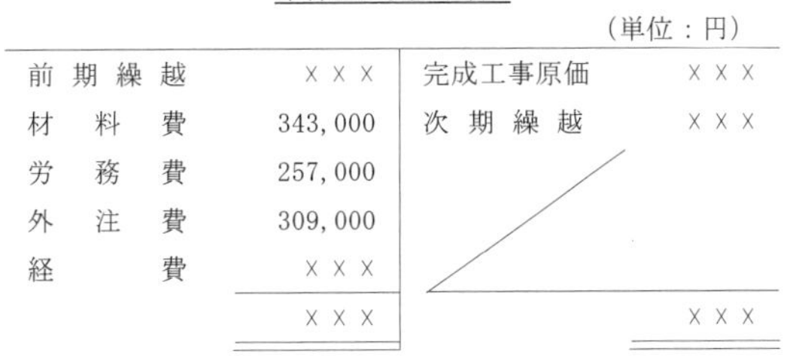

未成工事支出金

(単位：円)

前期繰越	×××	完成工事原価	×××
材料費	343,000	次期繰越	×××
労務費	257,000		
外注費	309,000		
経費	×××		
	×××		×××

解答&解説

〔第 2 問〕

完成工事原価報告書

(単位：円)

Ⅰ. 材料費	266000
Ⅱ. 労務費	197000
Ⅲ. 外注費	252000
Ⅳ. 経　費	110000
完成工事原価	825000

(1) 原価計算表と未成工事支出金勘定の推定金額を示すと次のとおりである。

原 価 計 算 表

(単位：円)

摘　要	A工事		B工事		C工事	D工事	合　計
	前期繰越	当期発生	前期繰越	当期発生	当期発生	当期発生	
材 料 費	(48,000)	140,000	54,000	(注3)(33,000)	(78,000)	(92,000)	445,000
労 務 費	50,000	103,000	(27,000)	58,000	(注1)(44,000)	52,000	334,000
外 注 費	(70,000)	(注2)(84,000)	(75,000)	90,000	98,000	37,000	(454,000)
経　費	20,000	32,000	(13,000)	28,000	58,000	33,000	184,000
合　計	188,000	(359,000)	169,000	(209,000)	278,000	214,000	(1,417,000)
期末の状況	完成・引渡完了		未完成		完成・引渡完了	未完成	

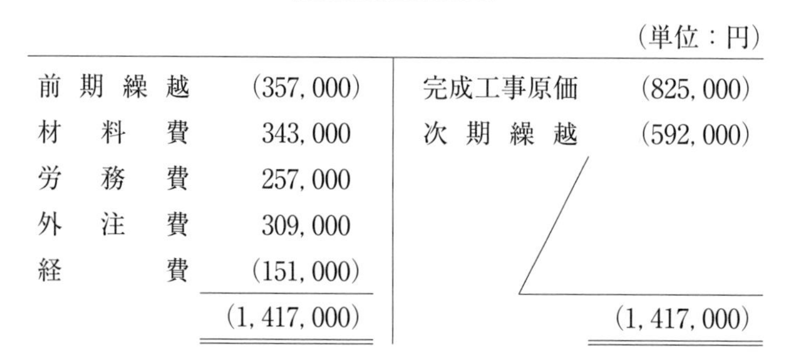

未成工事支出金

(単位：円)

前 期 繰 越	(357,000)	完成工事原価	(825,000)
材 料 費	343,000	次 期 繰 越	(592,000)
労 務 費	257,000		
外 注 費	309,000		
経　費	(151,000)		
	(1,417,000)		(1,417,000)

(注1) 未成工事支出金勘定の当期発生労務費¥257,000からA工事, B工事, D工事の労務費の当期発生額をマイナスして逆算にて求める。

257,000－(103,000＋58,000＋52,000)＝44,000

(注2) 未成工事支出金勘定の当期発生外注費¥309,000からB工事, C工事, D工事の外注費の当期発生額をマイナスして逆算にて求める。

309,000－(90,000＋98,000＋37,000)＝84,000

(注3) 未成工事支出金勘定の当期発生材料費¥343,000からA工事, C工事, D工事の材料費の当期発生額をマイナスして逆算にて求める。

343,000－(140,000＋78,000＋92,000)＝33,000

(2) 完成工事原価報告書

(単位：円)

摘　要	A工事		C工事	合　計
	前期繰越	当期発生	当期発生	
材 料 費	48,000	140,000	78,000	266,000
労 務 費	50,000	103,000	44,000	197,000
外 注 費	70,000	84,000	98,000	252,000
経　費	20,000	32,000	58,000	110,000
合　計	188,000	359,000	278,000	825,000

〔第3問〕　次に掲げる<平成×年3月中の取引>を解答用紙の合計試算表の（イ）当月取引高欄に記入し、次いで（ア）前月繰越高欄と（イ）の欄を基に（ウ）合計欄に記入しなさい。なお、材料は購入のつど材料勘定に記入し、現場搬入の際に材料費勘定に振り替えている。（30点）

<平成×年3月中の取引>

1日　手許現金を補充するため、小切手￥150,000を振り出した。
3日　銀行より￥500,000を借り入れ、利息￥5,000を差し引かれた手取額が当座預金に振り込まれた。
7日　福島商事(株)と工事請負契約が成立し、前受金￥300,000を小切手で受け取った。
9日　滋賀建材(株)から材料￥351,000を掛けで購入し、本社倉庫に搬入した。
12日　本社事務員の給料￥60,000、現場作業員の賃金￥78,000を現金で支払った。
13日　工事の未収代金の決済として￥500,000が当座預金に振り込まれた。
15日　材料￥108,000を本社倉庫より現場に搬送した。
19日　外注業者の東西工務店から作業完了の報告があり、外注代金￥250,000の請求を受けた。
20日　9日に掛けで購入し、本社倉庫で保管していた材料の一部に不良品があり、￥65,000の値引きを受けた。
22日　工事現場の電話代￥20,000を現金で支払った。
23日　取立依頼中の約束手形￥360,000が支払期日につき、当座預金へ入金となった旨の通知を受けた。
25日　9日に掛けで購入し、15日に現場に搬送した材料の一部に品違いがあり、現場より￥58,000返品した。
26日　材料の掛買代金支払のため、小切手￥330,000を振り出した。
28日　当社振り出しの約束手形￥240,000が支払期日につき、当座預金から引き落とされた。
30日　請負代金￥500,000の工事が完成したので、発注者へ引き渡し、前受金￥200,000を相殺した残額を請求した。

解答＆解説

〔第 3 問〕

合計試算表

平成×年3月31日現在　(単位：円)

借方			勘定科目	貸方		
(ウ)合計	(イ)当月取引高	(ア)前月繰越高		(ア)前月繰越高	(イ)当月取引高	(ウ)合計
2391900	450000	1941900	現金	1623900	158000	1781900
4837000	1355000	3482000	当座預金	2859000	720000	3579000
1518800		1518800	受取手形	1158800	360000	1518800
4767000	300000	4467000	完成工事未収入金	3684000	500000	4184000
485900	351000	134900	材料	38000	173000	211000
313000		313000	機械装置			
99000		99000	備品			
1102000	240000	862000	支払手形	1102000		1102000
721000	453000	268000	工事未払金	398000	601000	999000
200000		200000	借入金	600000	500000	1100000
276000	200000	76000	未成工事受入金	209800	300000	509800
			資本金	1000000		1000000
			完成工事高	947000	500000	1447000
202700	108000	94700	材料費		58000	58000
128500	78000	50500	労務費			
294800	250000	44800	外注費			
53900	20000	33900	経費			
93200	60000	33200	給料			
			雑収入	1200		1200
7000	5000	2000	支払利息			
17491700	3870000	13621700		13621700	3870000	17491700

本問は合計試算表の作成に関する問題である。解答にあたっては，(1)3月中の取引について仕訳を行い，(2)その結果を「当月取引高」欄に記入し，借方・貸方の合計額の一致を確かめたうえで，(3)「合計」欄の記入を行うとよいであろう。

（注１）〈平成×年３月中の取引〉の仕訳については次のとおりである。（単位：円）

日付		借方科目	金額		貸方科目	金額
3／1	（借）	現　金	150,000	（貸）	当座預金	150,000
3／3	（借）	当座預金	495,000	（貸）	借入金	500,000
		支払利息	5,000			
3／7	（借）	現　金	300,000	（貸）	未成工事受入金	300,000
3／9	（借）	材　料	351,000	（貸）	工事未払金	351,000
3／12	（借）	給　料	60,000	（貸）	現　金	138,000
		労務費	78,000			
3／13	（借）	当座預金	500,000	（貸）	完成工事未収入金	500,000
3／15	（借）	材料費	108,000	（貸）	材　料	108,000
3／19	（借）	外注費	250,000	（貸）	工事未払金	250,000
3／20	（借）	工事未払金	65,000	（貸）	材　料	65,000
3／22	（借）	経　費	20,000	（貸）	現　金	20,000
3／23	（借）	当座預金	360,000	（貸）	受取手形	360,000
3／25	（借）	工事未払金	58,000	（貸）	材料費	58,000
3／26	（借）	工事未払金	330,000	（貸）	当座預金	330,000
3／28	（借）	支払手形	240,000	（貸）	当座預金	240,000
3／30	（借）	未成工事受入金	200,000	（貸）	完成工事高	500,000
		完成工事未収入金	300,000			
		合　計	3,870,000		合　計	3,870,000

（注２）現金と当座預金については，取引量が多いのでＴ字型の略式の勘定口座（３月中の取引のみ）を作成するとよいであろう。（単位：円）

現金（３月中の取引）

日付	金額	日付	金額
3/1	150,000	3/12	138,000
3/7	300,000	3/22	20,000
	450,000		158,000

当座預金（３月中の取引）

日付	金額	日付	金額
3/3	495,000	3/1	150,000
3/13	500,000	3/26	330,000
3/23	360,000	3/28	240,000
	1,355,000		720,000

（注３）（ア）前月繰越高欄の合計￥13,621,700＋３月中の仕訳合計￥3,870,000＝￥17,491,700

従って，（ウ）合計欄の借方と貸方の合計金額は￥17,491,700となる。

問題

〔第4問〕 次の文章の［　　］の中に入る適当な用語を下記の<用語群>の中から選び、その記号（ア～ソ）を解答用紙の所定の欄に記入しなさい。（10点）

(1) 株式配当金領収証、郵便為替証書は［ a ］勘定で処理する。

(2) 前受利息は［ b ］の勘定に属し、前払利息は［ c ］の勘定に属する勘定科目である。

(3) 固定資産の補修において、当該資産の能率を増進するための支出は［ d ］と呼ばれ、原状を回復するための支出は［ e ］と呼ばれる。

<用語群>

ア 収益	イ 収益的支出	ウ 小切手	エ 経費	オ 負債
カ 資本	キ 未成工事支出金	ク 費用	コ 資本的支出	サ 現金
シ 工事原価	ス 当座預金	セ 資産	ソ 普通預金	

解答&解説

〔第 4 問〕

記号 （ア～ソ）

a	b	c	d	e
サ	オ	セ	コ	イ

(1) 現金勘定に関する出題

(3) 資本的支出と収益的支出に関する出題

〔第 5 問〕 次の ＜決算整理事項等＞ により、解答用紙に示されている大宮工務店の当会計年度（平成×年 1 月 1 日～平成×年 12 月 31 日）に係る精算表を完成しなさい。なお、工事原価は未成工事支出金勘定を経由して処理する方法によっている。 (28 点)

＜決算整理事項等＞

(1) 機械装置（工事現場用）について¥48,000、備品（一般管理用）について¥8,000 の減価償却費を計上する。
(2) 有価証券の時価は¥166,400 である。評価損を計上する。
(3) 受取手形と完成工事未収入金の合計額に対して 2%の貸倒引当金を設定する。（差額補充法）
(4) 支払家賃には前払分¥9,500 が含まれている。
(5) 現金の実際手許有高は¥332,000 であったため、不足額は雑損失とする。
(6) 期末において、定期預金の未収利息¥1,300 と借入金の未払利息¥3,300 がある。
(7) 未成工事支出金の次期繰越額は¥354,000 である。

解答&解説

〔第 5 問〕

精　算　表

（単位：円）

勘定科目	残高試算表		整理記入		損益計算書		貸借対照表	
	借方	貸方	借方	貸方	借方	貸方	借方	貸方
現金	332300			(5) 300			332000	
当座預金	448000						448000	
定期預金	100000						100000	
受取手形	531000						531000	
完成工事未収入金	704000						704000	
貸倒引当金		16600		(3) 8100				24700
有価証券	188900			(2) 22500			166400	
未成工事支出金	486000		(7) 2964000	(7) 3096000			354000	
材料	283000						283000	
貸付金	413000						413000	
機械装置	800000						800000	
機械装置減価償却累計額		312000		(1) 48000				360000
備品	100000						100000	
備品減価償却累計額		21000		(1) 8000				29000
支払手形		415000						415000
工事未払金		553000						553000
借入金		598000						598000
未成工事受入金		127000						127000
資本金		2000000						2000000
完成工事高		3784000				3784000		
受取利息		7800		(6) 1300		9100		
材料費	794000			(7) 794000				
労務費	689000			(7) 689000				
外注費	836000			(7) 836000				
経費	597000		(1) 48000	(7) 645000				
支払家賃	139000			(4) 9500	129500			
支払利息	6200		(6) 3300		9500			
その他の費用	387000				387000			
	7834400	7834400						
完成工事原価			(7) 3096000		3096000			
貸倒引当金繰入額			(3) 8100		8100			
減価償却費			(1) 8000		8000			
有価証券評価損			(2) 22500		22500			
雑損失			(5) 300		300			
前払家賃			(4) 9500				9500	
未収利息			(6) 1300				1300	
未払利息				(6) 3300				3300
			6161000	6161000	3660900	3793100	4242200	4110000
当期（純利益）					132200			132200
					3793100	3793100	4242200	4242200

主な注意事項は次のとおりである。(単位：円)

(1)・機械装置（工事現場用）の減価償却費の計上

（借）経　費	48,000	（貸）機械装置減価償却累計額	48,000

・備品（一般管理用）の減価償却費の計上

（借）減価償却費	8,000	（貸）備品減価償却累計額	8,000

(2) 有価証券の帳簿残高（試算表残高）　188,900
有価証券の時価　166,400
有価証券評価損　22,500

（借）有価証券評価損	22,500	（貸）有価証券	22,500

(3) 貸倒引当金の当期設定額（531,000＋704,000）×0.02％＝24,700
貸倒引当金の試算表残高　16,600
差額補充額　8,100

（借）貸倒引当金繰入額	8,100	（貸）貸倒引当金	8,100

(4)	（借）前払家賃	9,500	（貸）支払家賃	9,500
(5)	（借）雑損失	300	（貸）現　金	300
(6)	（借）未収利息	1,300	（貸）受取利息	1,300
	（借）支払利息	3,300	（貸）未払利息	3,300

(7)・工事原価の未成工事支出金への振替

（借）未成工事支出金	2,964,000	（貸）材料費	794,000
		労務費	689,000
		外注費	836,000
		経　費	645,000

・未成工事支出金から完成工事原価への振替
（設問にある未成工事支出金の次期繰越額¥354,000から逆算して計算する。）
486,000＋2,964,000－354,000＝3,096,000

（借）完成工事原価	3,096,000	（貸）未成工事支出金	3,096,000

解答用紙

○コピーしてご使用ください（本試験の用紙サイズは「Ｂ４」となります）。
○解答用紙は、一般財団法人建設業振興基金のホームページからもダウンロードできます。

第42回 解答用紙

〔第１問〕

仕訳　記号（A～X）も必ず記入のこと

No.	借方			貸方		
	記号	勘定科目	金額	記号	勘定科目	金額
(例)	B	当座預金	100000	A	現金	100000
(1)						
(2)						
(3)						
(4)						
(5)						

〔第２問〕

完成工事原価報告書

（単位：円）

Ⅰ．材料費	
Ⅱ．労務費	
Ⅲ．外注費	
Ⅳ．経　費	
完成工事原価	

〔第3問〕

合計残高試算表

20×6年11月30日現在

(単位：円)

借方 残高	借方 合計	勘定科目	貸方 合計	貸方 残高
		現金		
		当座預金		
		受取手形		
		完成工事未収入金		
		材料		
		車両運搬具		
		備品		
		支払手形		
		工事未払金		
		借入金		
		未成工事受入金		
		資本金		
		完成工事高		
		材料費		
		労務費		
		外注費		
		経費		
		給料		
		支払家賃		
		支払利息		

〔第4問〕

記号（ア～ス）

a	b	c	d	e

〔第5問〕

精　算　表

（単位：円）

勘定科目	残高試算表		整理記入		損益計算書		貸借対照表	
	借方	貸方	借方	貸方	借方	貸方	借方	貸方
現金	382000							
現金過不足	500							
当座預金	130000							
受取手形	660000							
完成工事未収入金	730000							
貸倒引当金		20500						
有価証券	218000							
未成工事支出金	530000							
材料	246000							
貸付金	329000							
機械装置	800000							
機械装置減価償却累計額		216000						
備品	320000							
備品減価償却累計額		64000						
支払手形		825000						
工事未払金		739000						
借入金		902000						
未成工事受入金		171000						
資本金		1700000						
完成工事高		2619000						
受取利息		30000						
材料費	811000							
労務費	433000							
外注費	772000							
経費	411000							
保険料	132000							
支払利息	8000							
その他の費用	374000							
	7286500	7286500						
完成工事原価								
貸倒引当金繰入額								
減価償却費								
有価証券評価損								
雑損失								
未払利息								
前払保険料								
当期（　　　　）								

第41回 解答用紙

〔第1問〕

仕訳　記号（A～X）も必ず記入のこと

No.	借方			貸方		
	記号	勘定科目	金額	記号	勘定科目	金額
(例)	B	当座預金	100000	A	現金	100000
(1)						
(2)						
(3)						
(4)						
(5)						

〔第2問〕

完成工事原価報告書

（単位：円）

Ⅰ．材料費	
Ⅱ．労務費	
Ⅲ．外注費	
Ⅳ．経　費	
完成工事原価	

〔第 3 問〕

合計残高試算表

20×5 年 11 月 30 日現在　(単位：円)

借方		勘定科目	貸方	
残高	合計		合計	残高
		現金		
		当座預金		
		受取手形		
		完成工事未収入金		
		材料		
		機械装置		
		備品		
		支払手形		
		工事未払金		
		借入金		
		未成工事受入金		
		資本金		
		完成工事高		
		材料費		
		労務費		
		外注費		
		経費		
		給料		
		通信費		
		支払利息		

〔第 4 問〕

記号（ア～ス）

a	b	c	d	e

〔第5問〕

精　算　表

（単位：円）

勘定科目	残高試算表		整理記入		損益計算書		貸借対照表	
	借方	貸方	借方	貸方	借方	貸方	借方	貸方
現金	302000							
当座預金	548000							
定期預金	100000							
受取手形	500000							
完成工事未収入金	800000							
貸倒引当金		20000						
有価証券	228000							
未成工事支出金	480000							
材料	253000							
貸付金	487000							
機械装置	800000							
機械装置減価償却累計額		312000						
備品	100000							
備品減価償却累計額		21000						
支払手形		454000						
工事未払金		589000						
借入金		698000						
未成工事受入金		167000						
資本金		1800000						
完成工事高		3823000						
受取利息		10000						
材料費	754000							
労務費	679000							
外注費	806000							
経費	517000							
支払家賃	147000							
支払利息	6000							
その他の費用	387000							
	7894000	7894000						
完成工事原価								
貸倒引当金繰入額								
減価償却費								
有価証券評価損								
雑損失								
未収利息								
未払利息								
前払家賃								
当期（　　　）								

第40回 解答用紙

〔第1問〕

仕訳　記号（A～X）も必ず記入のこと

No.	借方			貸方		
	記号	勘定科目	金額	記号	勘定科目	金額
(例)	B	当座預金	100000	A	現金	100000
(1)						
(2)						
(3)						
(4)						
(5)						

〔第2問〕

問1　¥

問2　¥

問3　¥

問4　¥

〔第3問〕

合計試算表

20×6年3月31日現在

（単位：円）

借方			勘定科目	貸方		
(ウ)合計	(イ)当月取引高	(ア)前月繰越高		(ア)前月繰越高	(イ)当月取引高	(ウ)合計
		518000	現金	37000		
		833000	当座預金	123000		
		380000	受取手形	50000		
		683000	完成工事未収入金	188000		
		187900	材料	33000		
		414000	機械装置			
		399000	備品			
		108000	支払手形	542000		
		79000	工事未払金	329900		
		100000	借入金	500000		
		144000	未成工事受入金	433000		
			資本金	1300000		
			完成工事高	947000		
		84700	材料費			
		203500	労務費			
		34800	外注費			
		30900	経費			
		183200	給料			
		16000	通信費			
		21000	事務用消耗品費			
		60000	支払家賃			
		2900	支払利息			
		4482900		4482900		

〔第4問〕

記号（ア～シ）

a	b	c	d	e

〔第5問〕

精　算　表

（単位：円）

勘定科目	残高試算表		整理記入		損益計算書		貸借対照表	
	借方	貸方	借方	貸方	借方	貸方	借方	貸方
現金	452000							
当座預金	388000							
受取手形	601000							
完成工事未収入金	619000							
貸倒引当金		32400						
有価証券	344000							
未成工事支出金	568000							
材料	583000							
貸付金	400000							
機械装置	952000							
機械装置減価償却累計額		236000						
備品	378000							
備品減価償却累計額		124000						
支払手形		714000						
工事未払金		503000						
借入金		268000						
未成工事受入金		239000						
資本金		2500000						
完成工事高		3734000						
受取利息		19800						
材料費	890000							
労務費	613000							
外注費	650000							
経費	547000							
支払家賃	115000							
支払利息	43200							
保険料	22000							
その他の費用	205000							
	8370200	8370200						
完成工事原価								
貸倒引当金繰入額								
減価償却費								
雑損失								
有価証券評価損								
前払保険料								
未収利息								
当期（　　　　）								

解答用紙

〔第１問〕

仕訳　記号（A～W）も必ず記入のこと

No.	借方			貸方		
	記号	勘定科目	金額	記号	勘定科目	金額
(例)	B	当座預金	100000	A	現金	100000
(1)						
(2)						
(3)						
(4)						
(5)						

〔第２問〕

問１　¥

問２　¥

問３　¥

問４　¥

〔第3問〕

合計残高試算表

20×8年11月30日　　(単位：円)

借方 残高	借方 合計	勘定科目	貸方 合計	貸方 残高
		現金		
		当座預金		
		受取手形		
		完成工事未収入金		
		材料		
		機械装置		
		備品		
		支払手形		
		工事未払金		
		借入金		
		未成工事受入金		
		資本金		
		完成工事高		
		材料費		
		労務費		
		外注費		
		経費		
		給料		
		支払家賃		
		支払利息		

〔第4問〕

記号（ア～ス）

a	b	c	d	e

〔第5問〕

精　算　表

（単位：円）

勘定科目	残高試算表		整理記入		損益計算書		貸借対照表	
	借方	貸方	借方	貸方	借方	貸方	借方	貸方
現金	346000							
当座預金	410400							
受取手形	362200							
完成工事未収入金	810400							
貸倒引当金		17200						
有価証券	365000							
未成工事支出金	288000							
材料	473000							
貸付金	340000							
機械装置	640000							
機械装置減価償却累計額		288000						
備品	420000							
備品減価償却累計額		112000						
支払手形		652500						
工事未払金		468800						
借入金		292000						
未成工事受入金		182200						
資本金		2000000						
完成工事高		2864200						
受取利息		28000						
材料費	823000							
労務費	522000							
外注費	415000							
経費	322000							
支払利息	26000							
その他の費用	341900							
	6904900	6904900						
完成工事原価								
貸倒引当金繰入額								
減価償却費								
有価証券評価損								
未払利息								
当期（　　　　）								

第38回 解答用紙

〔第1問〕

仕訳　記号（A～U）も必ず記入のこと

No.	借方			貸方		
	記号	勘定科目	金額	記号	勘定科目	金額
(例)	B	当座預金	100000	A	現金	100000
(1)						
(2)						
(3)						
(4)						
(5)						

〔第2問〕

完成工事原価報告書

（単位：円）

Ⅰ．材料費	
Ⅱ．労務費	
Ⅲ．外注費	
Ⅳ．経　費	
完成工事原価	

〔第３問〕

合計残高試算表

平成×年７月31日現在　　　　　　　　　　　　(単位：円)

借方 残高	借方 合計	勘定科目	貸方 合計	貸方 残高
		現金		
		当座預金		
		受取手形		
		完成工事未収入金		
		材料		
		機械装置		
		備品		
		支払手形		
		工事未払金		
		借入金		
		未成工事受入金		
		資本金		
		完成工事高		
		材料費		
		労務費		
		外注費		
		経費		
		給料		
		支払家賃		
		支払利息		

〔第４問〕

記号（ア～シ）

a	b	c	d	e

〔第5問〕

精　算　表

（単位：円）

勘定科目	残高試算表		整理記入		損益計算書		貸借対照表	
	借方	貸方	借方	貸方	借方	貸方	借方	貸方
現金	380000							
当座預金	486000							
受取手形	653000							
完成工事未収入金	537000							
貸倒引当金		11800						
有価証券	317000							
未成工事支出金	453000							
材料	352000							
貸付金	280000							
機械装置	840000							
機械装置減価償却累計額		360000						
備品	400000							
備品減価償却累計額		120000						
支払手形		782000						
工事未払金		623000						
借入金		486000						
未成工事受入金		387000						
資本金		1000000						
完成工事高		3288000						
受取利息		18000						
材料費	767600							
労務費	628000							
外注費	495000							
経費	197200							
保険料	70000							
支払利息	48000							
その他の費用	172000							
	7075800	7075800						
完成工事原価								
貸倒引当金繰入額								
有価証券評価損								
減価償却費								
未収利息								
未払利息								
当期（　　　）								

解答用紙

〔第1問〕

仕訳　記号（A～X）も記入のこと

No.	借方			貸方		
	記号	勘定科目	金額	記号	勘定科目	金額
(例)	B	当座預金	100000	A	現金	100000
(1)						
(2)						
(3)						
(4)						
(5)						

〔第2問〕

問1　¥

問2　¥

問3　¥

問4　¥

〔第3問〕

合計残高試算表

平成×年12月30日現在　　　　　　　　　　　　(単位：円)

借方 残高	借方 合計	勘定科目	貸方 合計	貸方 残高
		現金		
		当座預金		
		受取手形		
		完成工事未収入金		
		材料		
		機械装置		
		備品		
		支払手形		
		工事未払金		
		借入金		
		未成工事受入金		
		資本金		
		完成工事高		
		材料費		
		労務費		
		外注費		
		経費		
		給料		
		通信費		
		支払利息		

〔第4問〕

記号（ア～ス）

a	b	c	d	e

〔第5問〕

精　算　表

（単位：円）

勘定科目	残高試算表		整理記入		損益計算書		貸借対照表	
	借方	貸方	借方	貸方	借方	貸方	借方	貸方
現金	352000							
当座預金	498000							
受取手形	591000							
完成工事未収入金	819000							
貸倒引当金		22400						
有価証券	254000							
未成工事支出金	458000							
材料	483000							
貸付金	500000							
機械装置	762000							
機械装置減価償却累計額		246000						
備品	468000							
備品減価償却累計額		84000						
支払手形		794000						
工事未払金		433000						
借入金		398000						
未成工事受入金		199000						
資本金		2500000						
完成工事高		3684000						
受取利息		9800						
材料費	994000							
労務費	659000							
外注費	556000							
経費	497000							
支払家賃	159000							
支払利息	13200							
その他の費用	307000							
	8370200	8370200						
完成工事原価								
貸倒引当金繰入額								
減価償却費								
雑損失								
有価証券評価損								
前払家賃								
当期（　　　　）								

第36回　解答用紙

〔第１問〕

仕訳　　記号（A～W）も必ず記入のこと

No.	借方			貸方		
	記号	勘定科目	金額	記号	勘定科目	金額
(例)	B	当座預金	100000	A	現金	100000
(1)						
(2)						
(3)						
(4)						
(5)						

〔第２問〕

完成工事原価報告書

（単位：円）

Ⅰ．材料費	
Ⅱ．労務費	
Ⅲ．外注費	
Ⅳ．経　費	
完成工事原価	

〔第 3 問〕

合計試算表

平成×年3月31日現在　　　　(単位：円)

借方			勘定科目	貸方		
(ウ)合計	(イ)当月取引高	(ア)前月繰越高		(ア)前月繰越高	(イ)当月取引高	(ウ)合計
		1941900	現金	1623900		
		3482000	当座預金	2859000		
		1518800	受取手形	1158800		
		4467000	完成工事未収入金	3684000		
		134900	材料	38000		
		313000	機械装置			
		99000	備品			
		862000	支払手形	1102000		
		268000	工事未払金	398000		
		200000	借入金	600000		
		76000	未成工事受入金	209800		
			資本金	1000000		
			完成工事高	947000		
		94700	材料費			
		50500	労務費			
		44800	外注費			
		33900	経費			
		33200	給料			
			雑収入	1200		
		2000	支払利息			
		13621700		13621700		

〔第 4 問〕

記号　(ア～ソ)

a	b	c	d	e

〔第 5 問〕

精　算　表

（単位：円）

勘定科目	残高試算表		整理記入		損益計算書		貸借対照表	
	借方	貸方	借方	貸方	借方	貸方	借方	貸方
現金	332300							
当座預金	448000							
定期預金	100000							
受取手形	531000							
完成工事未収入金	704000							
貸倒引当金		16600						
有価証券	188900							
未成工事支出金	486000							
材料	283000							
貸付金	413000							
機械装置	800000							
機械装置減価償却累計額		312000						
備品	100000							
備品減価償却累計額		21000						
支払手形		415000						
工事未払金		553000						
借入金		598000						
未成工事受入金		127000						
資本金		2000000						
完成工事高		3784000						
受取利息		7800						
材料費	794000							
労務費	689000							
外注費	836000							
経費	597000							
支払家賃	139000							
支払利息	6200							
その他の費用	387000							
	7834400	7834400						
完成工事原価								
貸倒引当金繰入額								
減価償却費								
有価証券評価損								
雑損失								
前払家賃								
未収利息								
未払利息								
当期（　　　　）								

メモ

メモ